ゼロからわかる楽園移住マニュアル

月10万円でできる!
悠々生活
タイランド

藤井伸二

はじめに

できる　月一〇万円でのタイ生活

すでにタイで暮らしている日本人にはふたつのタイプがあります。

仕事をしながら暮らしている人
仕事をしないで暮らしている人

本書では後者の「仕事をしないで暮らしている人」になるための方法を書き記しています。タイという国において日本人が月一〇万円の予算で生活するのは、実のところたいした問題ではありません。意気込むことも身構えることもなくできるはずです。

実際に生活をスタートさせてしまえば、

「なんだ、月一〇万円でも充分じゃないか」
「日本にいたときよりずっと快適だ」

になるかもしれません。それくらいかんたんです。

ただし、誰にでもできるわけではありません。月額の予算に関係なく、長期間にわたってタイで暮らすには、次のような条件があります。

長期滞在用のビザが取得できる人
タイ国内で働かなくてもいい人
海外での生活を楽しめる人

この三つの条件をすべて満たしていないと楽しめないか、それ以前にタイでの生活が始められない可能性があります。

本書は、基本的にはこれらの条件を満たし、一年以上の予定でタイで生活する方を対象としていますが、ビザを必要としない一ヶ月から二ヶ月の滞在、さらにはツーリスト・ビザ（観光ビザ）を利用した半年程度の短期生活を予定している方でも「できる」内容となっています。この国で長く暮らすつもりのない方も、安心してお読みください。

二〇二三年五月現在の円バーツ交換レートは、正確には一バーツ＝四・一円前後（一万円で二四五〇バーツ前後）で推移していますが、本書ではわかりやすくするために、
一バーツ＝四円
一万円＝二五〇〇バーツ
に設定しています。

【おことわり】
本書では違法行為による長期滞在は推奨していません。きちんとビザを取ることができる方、許可された滞在期間を守れる方を対象に解説しています。
ビザについては後半の第六章にまとめてありますので、取得できるかどうか心配な方は、最初にそちらのページを開いて確認してください。
為替レートを含む本書内のデータはすべて二〇二三年五月現在のものです。

目次

チェンコーン
チェンラーイ
ラオス
メー・ホーン・ソーン
チェンマイ
ミャンマー
（ビルマ）
ランパーン
ノーンカーイ
ウドーン・ターニー
スコータイ
メー・ソート
ピサヌローク
ムクダハーン
コーンケーン
ロイエット
タイ
ナコーン・サワン
ナコーン・
ラーチャシーマー
ウボン・
ラーチャターニー
アユタヤー
カンチャナブリー
バンコク
チョンブリー
アンダマン海
パタヤー
フア・ヒン
カンボジア
ハート・レック
チャーン島
タイランド湾
チュンポン
ベトナム
ラノーン
パンガン島
サムイ島
スラー・ターニー
南シナ海
クラビー
プーケット島
ピーピー島
ハート・ヤイ
パダン・ブサール
タルタオ島
スンガイ・コロク
マレーシア

第一章

月一〇万円での生活を検討してみる

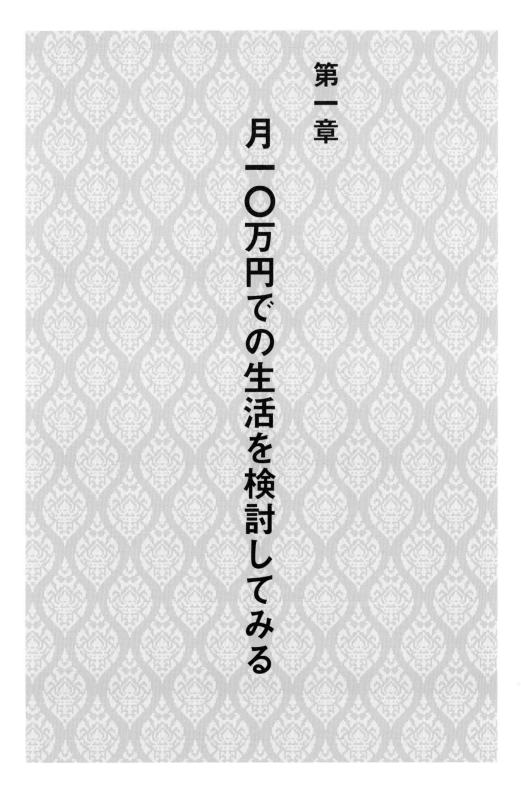

タイ王国まで四三〇〇キロ

「月一〇万円で海外生活ができる」

そう聞かされたら、日本人はどんな反応を見せるでしょうか。

「できるはずがない」

「できても惨めな生活だろう」

「できるのは限られた人だけ」

といったあたりが正直なところでしょう。

しかし実際には、そんなことなどありません。世界は思っているよりも広く、そのような生活が実現可能な国と場所はまだ数多くあります。

ただし、どこでもいいというわけではありません。日本から遠く離れた地球の裏側や、日中の平均気温が氷点下といった厳しい環境下では、月一〇万円で生活できると言われたところで敬遠したくなります。惨めでひもじい生活も、したいわけではありません。

日本人でそれができて、しかも最も近くにあるのはタイ王国、一般に「タイ」と呼ばれている国です。日本からは距離にして約四三〇〇キロ。航空機で直行すれば六時間前後で到着できる近さです。

距離的にもっと近い韓国や台湾は物価が高く、中国には政治的な危うさがあります。日本から三時間程度で行けるフィリピンも有力な候補のひとつですが、治安に少々難があるようにも見受けられます。

タイと同じ東南アジアに属するマレーシアは、かつてはリタイヤ組に大人気でしたが、長期滞在するための条件が引き上げられ、日本人には遠い国になってしまいました。

経済大国となったシンガポールはすでに遠く、その先のオーストラリアも気軽には暮らせない国になっています。

その点タイは、物価が高くなったとはいえいまだ許容の範囲にあり、治安もフィリピンほどには悪くありません。なにより長期生活するためのビザ発給条件が低めに設定されていて、日本人にも手が届くのが魅力です。

物価の面ではベトナムやカンボジアも比較対象となりますが、外国人の長期生活者を受け入れる制度がないので論外です。

リタイヤした外国人向けのビザさえ取得できれば、タイでの月一〇万円生活はけっして難しくありません。無理な暮らしも求められません。熱帯の陽気と明るさで、日本の都会でつつましく暮らすよりは、むしろ開放的で楽しい暮らしが得られるはずです。

TIPS タイ王国のリタイヤメント・ビザは年齢50歳以上で一定額以上の資産証明を提出できる外国人が申請できる。

タイの物価は高いか安いか

タイの物価は高いか安いか。これが一番の問題です。

これまでタイは、日本に比べると物価の安い国でした。しかし、ＡＳＥＡＮのトップを目指して発展中の現在は、それほど安いとは言えません。

それに加えて日本人には円の急落があります。国際相場で円が売られ続けた結果、為替レートは三〇年以上前の水準に戻っています。現在のタイの物価は三〇年前の三倍前後にまで上昇していますので、通貨的にはお得感がありません。

以下、この本では、とりあえず「一バーツ＝四円」で計算することにしました。一〇万円なら二万五〇〇〇バーツになりますが、これを一ヶ月の生活費として考えます。

この先、相場がどのように変化するかはわかりませんが、日本の現在の国力から鑑みるに、かつてのような「強い円」は当分の間見込めないでしょう。それを含んだ上で、この章では日本人が月二万五〇〇〇バーツでどのような生活を送れるのかを検証していきます。

固定費用を算出する

月一〇万円でのタイ生活は、いったいどうやって実現できるのでしょうか。

それより本当に、月一〇万円で生活ができるものなのでしょうか。

できるかできないか、まずは試算してみることにします。

最初に、月々の固定費用を算出しましょう。これらはどこに行っても必要となる出費です。

TIPS タイの現地通貨はバーツ（Baht）。硬貨は1、5、10バーツ、紙幣は20、50、100、500、1000バーツ。バーツの補助単位はサタン（Satang）で、100サタン＝1バーツ。

・家賃
・水道光熱費
・通信費
・一日三度の食費
・衣類の洗濯代

これらは世界のどこに行こうが、支払わなければ生活していくことができません。逆に言うと、人間はこれだけを支払っていれば、たとえそこが海外であっても生活していくことができる（認められる）のです。

いざ考えてみると単純なものです。ただし、タイでの生活を豊かにしたいなら、次のようなお金も使う必要があります。

・交通費
・生活必需品購入費（石けん、シャンプー、歯磨き粉、衣類など）
・福利厚生費（移動費、娯楽費、観光用の旅費など）

これらの経費は、毎日使うわけではありませんが、必要に応じて使ってもいい経費として支出の中に入れておきます。

ここまでは、最低限でも必要となる毎月の出費です。

タイで生活する外国人はこのほかに、

・ビザ更新費（リタイヤメント・ビザ所持者）
・ビザ申請費（ツーリスト・ビザ所持者）
・ビザ・ラン経費（ツーリスト・ビザ所持者またはノー・ビザ入国者）
・日本帰国用の旅費

などが必要になります。

ビザ更新費は必ず必要となりますので、通常の経費とは別に、しっかりと確保しておかねばなりません。

お金の使いどころはほかにもたくさんありますが、最低限必要な出費は、このようなものです。

固定費用の比率

続いて月次にかかる固定費用の比率を考えてみましょう。

やたらと家賃の高い部屋を借りたばかりに電気代が払えず、豪華な室内でロウソク生活するよう

TIPS 生活費とビザ更新費や帰国用の旅費はしっかりと分け、絶対に手を付けないようにしておく。ここに手が出るか出ないかで日頃の生活態度がわかる。

な情けない日々は最初からお断りです。自身の身の丈に合った、バランスのいい出費と生活を目指しましょう。

まずは水道光熱費ですが、よほど広い部屋または一戸建てに複数人で暮らしていないかぎり、エアコンを活用しても電気代が二〇〇〇バーツ（八〇〇〇円）／月を越えることはないでしょう。酷暑期に一日二四時間エアコンを作動させたとしても、電気代で三〇〇〇バーツ（一万二〇〇〇円）／月を考えていれば充分にお釣りがくるはずです。

エアコンをまったく作動させない、あるいは最初からエアコンのない部屋を借りていたら、一ヶ月の電気代は数百バーツ程度で計算できます。

水道代にしても、洗濯物はコインランドリーで片付ければ、部屋で水を使うのはトイレとシャワーくらいになります。これらは数百バーツ／月くらいで収まります。

通信費はスマートフォンの利用費（電話代）やネット接続費を指します。住まいに無料のＷｉ－Ｆｉが用意されていれば、こちらも合計数百バーツ程度ですみます。

家賃についてはのちほど詳しく説明しますが、タイ国内で日本人が気持ちよく暮らせる部屋を探すなら四〇〇〇バーツ（一万六〇〇〇円）／月は必要になります。物価の高い首都バンコクの中心部近くであれば五〇〇〇バーツ（二万円）／月くらいが最低ラインと考えてください。そこから上は青天井になりますが、見栄さえ張らなければ光熱費を入れても一万バーツ（四万円）以内で充分以上の部屋が確保できるはずです。

一万バーツは現在のレートで約四万円になるので、ここまでで月あたりの経費の四〇％を使った計算になります。

これは最低限必要な出費ですが、日本と比べてどうでしょうか。この数字は、日本であれば五〇%は越えているのではないでしょうか。家賃の高い首都東京であれば、六〇%を越えるかもしれません。それが四〇%で収まっているのは、タイの家賃が総じて安いからです。

これを逆に言いますと、高い家賃を払うならタイで暮らすメリットは著しく落ちてしまうということです。この事実をまず頭に入れておきましょう。

日本とタイでの生活費の比較

タイでの生活は、日本のそれより経済的になるのか?

家賃で少し考えてみましょう。

ざっくりですが、東京都内ではワンルームでも一〇万円前後の家賃が必要です。大阪市内では、それは八万円前後とされています。大都市から離れた地方都市では五万円ほどになるでしょうか。いずれにしても、安い金額ではありません。

月収の手取りを二〇万円として考えると、タイの首都バンコクで暮らした際のフトコロ具合は大阪市内でワンルームマンションを借りたような感じになるようです。そう思うと、あまり経済的には思えません。

しかし、ここにはタイの物価が加味されていません。タイの物価、特に庶民向けの飲食費は長期間にわたって日本の半分かそれ以下で推移しています。これはタイ政府の努力によるもので、あの手この手を使って庶民の負担を下げようとしているのです。

これを加味して考えてみると、タイで家賃以外に使えるお金は日本の倍以上の価値があることになります。フトコロ具合は日本の地方都市に暮らすような感じでしょうか。そんな調子で田舎ではなく、一国の首都バンコクで暮らすことができるのです。

ここからわかるのは、タイでの長期生活は、東京や大阪にいるよりは財布や銀行の預金残高を気にせずに暮らせる事実です。感覚的には日本の地方都市で暮らすようなものかもしれません。これらはデータも含めて非常にあいまいな推測ですが、大きくはずれてもいないと思われます。

日本で生活するより苦しくなっているのでは、タイに行って暮らす意味などありません。まずはここで、自身の現在の生活環境と、予想されるタイでの暮らしぶりを、しっかり比較してみてください。

TIPS　現在の為替レートが底値なら、1バーツ=4円で立てている今回の生活プランにはいずれ余裕が生まれることになる。

タイまで事前調査に出かけてみよう

月に一〇万円あればタイで暮らしていけることがわかりましたが、暮らしていく場所がどんなところか、事前に知って理解しておく必要があります。

タイに何度か行ったことがある、あるいはタイで暮らしていたことがあるなら、ここは飛ばしてもかまいません。しかし「旅行で一度行って気に入った」あるいは「暮らしやすい国を探していたらタイになった」という程度なら、現地での事前調査が必要になります。

単身ならまだしも夫婦で、しかもどちらかが、あるいは両方がタイにも海外にも出かけたことがないなら、さらに重要です。

「こういう国と人々の中で暮らすのだ」という覚悟を決めるためにも、本格的な生活を始める前に、その国まで行っておきましょう。

タイの季候と環境

すでにタイに行ったことのある方は、一年のうちのいつに行ったかを思い出してください。たとえば年末年始の休暇でタイを訪れた人は、最高の季節を過ごしたことになります。暑いどころか涼しささえも感じられる季節で、雨もまったく降りません。空気は乾いていて、外を出歩いても汗すらかかないことすらあります。この時期にしかタイに来たことのない方は、この国の真の暑さ、気候の厳しさを知らないかもしれません。

五月のゴールデンウイークに訪れた方は、タイで最も気温が高い季節に訪れています。日中の気温は首都バンコクでも三八度以上、地方に行けば四〇度を超えることも珍しくありません。この季節にタイを訪れたなら、エアコンのない生活は考えられないと実感するでしょう。雨の降る日が恋しくなるような、そんな季節です。

八月のお盆の前後に訪れた方は、この雨を体験しているかもしれません。ただし、まだ本格的には降っていません。本当に激しい雨は雨季の終わりごろ、月でいえば九月から一〇月あたりに降ります。

この季節は傘を差しても無意味なほどの雨量と勢いになり、外出もままなりません。タイ国内のあちこちで冠水や洪水が始まるのも、このころです。

まだタイに行ったことがないなら、こうした季節情報を踏まえて行くタイミングを決めてください。気候条件のいいタイミングで行くのがベストですが、暮らすとなればすべての季節を体験することになります。最も厳しい季節を体験して、それに耐えられるか判断するのも悪くはありません。

雨季はロー・シーズン（六～一〇月）と呼ばれ、観光客が激減します。この時期はホテルも割引になり、航空運賃も安くなるので旅行者的には狙い目でしょう。

この逆に、年末年始はハイシーズン（十一～一月）となり、旅行経費はなにもかも高くなります。経費を節約したいなら、日本を離れるタイミングも頭の中に入れておきましょう。

往復チケットを手に入れる

タイで生活を始めたらどうなるのか。それは実際に始めてみるまでわかりません。日本にいたときより便利で快適になることもあれば、その逆もあるはずです。

「こんなはずではなかった」

「もしあれがあったらよかったのに」

などと行ってから後悔しないように、現地の状況を事前に調べて知っておく必要があります。

出費の少なさだけに目を惹かれて行ってしまうと、後悔する確率が高くなります。退路を断って海を渡っていた場合は後戻りもできません。若くて資金も充分あるなら人生のリスタートも可能ですが、そうでなければ悲惨な結果が待つだけです。

まずはタイで生活する意気込みがどれだけあるか、その資質が自分自身にあるかどうかを確かめましょう。そのためにも事前の現地調査は欠かせません。

この段階で必要なのはパスポートと往復航空券です。タイで長期生活をする人はリタイヤメント・ビザか、少なくともツーリスト・ビザ（観光ビザ）の取得が求められますが、この事前調査ではまだその必要がありません。事前にビザを取得しなくても日本帰国用の航空券を所持していれば（つまり日本で往復航空券を購入していれば）、三〇日間のタイ滞在が可能となるからです。

この入国許可（ノー・ビザ入国）は、タイ国内のイミグレーション・オフィスでさらに三〇日間の延長が可能です。そうすることによってビザを取得することなく合計で六〇日間、タイに滞在することができるようになります。事前調査が目的なら、これで充分と言えるでしょう。

また、この方法で日本とタイを年に二回往復すれば、合計で四ヶ月間の滞在ができることになります。初めての海外生活であれば、これでもかなり長いほうになります。

こうして現地の季候と習慣に体を合わせながら様子見して、適切なビザをあとで取得し、滞在期間を少しずつ延ばしていくのも正しい方法です。勢いだけで海外に出られるのは若いうちだけと思っていれば間違いありません。

パスポートの有効期限を確認する

すでにパスポートを所持している方は、有効期間を確認してくださ い。残りの期限が六ヶ月を切っているパスポートではタイに入国できません。

日本国内でのチェックイン時に空港職員によって調べられ、有効期間が六ヶ月以上ない場合は搭乗させてもらえません。これが意外と盲点で、空港に行ってから気づかれる方が大勢います。

入国してから期限の切れるパスポートはタイの日本国大使館領事部でも更新（新規発給）ができます。ただし、タイ国内のイミグレーションン（移民局）に行って入国スタンプを押し直すなど、別の手間が必要となります。

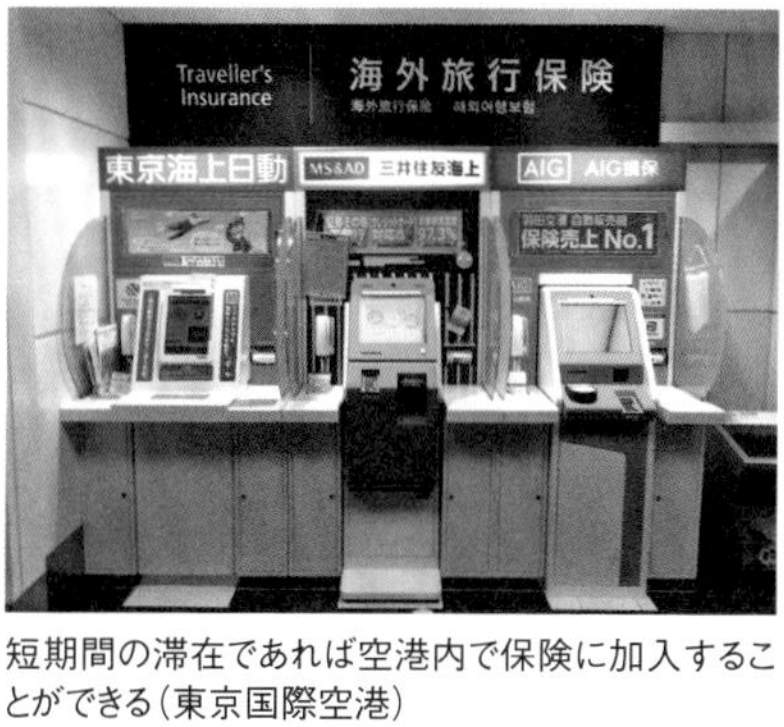

短期間の滞在であれば空港内で保険に加入することができる（東京国際空港）
https://tokyo-haneda.com/service/facilities/travel_insurance.html

長期滞在用のビザを持っていないとタイ行きの航空機には乗せてもらえない（東京国際空港）
https://www.tiat.co.jp/

こうした異国での手続きが不安であれば、日本国内で更新しておきましょう。更新手続きはパスポートの有効期限が一年未満であれば可能となります。

このとき注意したいのは、二〇二三年三月二七日からパスポートの新規申請・更新に必用な書類が変更されていることです。外務書のホームページをしっかりと確認し、あわてることのないようにしてください。

【外務省】
パスポートの申請から受領まで
(初めてパスポートを申請するとき等の例)
https://www.mofa.go.jp/mofaj/toko/passport/pass_2.html

事前調査のための準備

パスポートと往復航空券を手に入れたら、次はスマートフォンです。

現代人でこれを持っていない方はいないでしょうが、そのスマートフォンがSIMフリーかどうか確認してください。それがSIMフリーのスマートフォンであれば、タイで購入した国内用のSIMを差し、そのまま使うことができます。

手持ちのスマートフォンがSIMフリーでなくても買い換えていく必要はありません。タイはスマートフォンが安い国なので、行ってから買えば大丈夫。Androidスマホであれば選択肢も広く、価格も新品で二〇〇〇バーツ（八〇〇〇円）以下から出ています。コンビニエンス・ストア（コンビニ）でも買えるくらいなので、困ることはありません。キャリアも後から自由に変更できます。

最後に旅行ガイドブックを用意しましょう。これは宿泊予定のホテル周辺の地理がよくわかるものを探して買い求めます。地方に行く予定があるなら行き方や地図のしっかりしたものを選択してください。スマートフォンを使っての検索やGoogleマップだけで乗りきることもできますが、持っていたほうが便利で役に立ちます。語学関係では、タイ語の指さし会話帳なども現地で重宝する一冊です。

スマートフォンは安く手軽に買うことができる。機種も豊富だ

ガイドブックを含む日本語の書籍はタイ国内の書店でも購入できますが、輸入品なので価格はとても高くなっています。現地に着いてから「持ってくればよかった……」と思う代表でもあるので、迷ったら荷物に入れておきましょう。

準備といえば、これだけです。あとは身のまわりの品をバッグに詰めて、旅行資金を貴重品袋に収めれば、そのまま空港に直行できます。

事前調査のための現金

旅行資金も多くは持ち出す必要がありません。当座に必要な金額以外は現地に行ってからクレジットカードやデビット一体型のキャッシュカードで引き出すことが可能です。現金に比べると円からバーツの換算レートが悪いのが難ですが、大金を持ち歩かなくてすむ安心感はあります。現金の引き出しはタイの銀行が用意しているＡＴＭ機でできます。タイの街にはＡＴＭがあちこちにあるので、引き出す場所を見つける苦労はありません。交換レートと安全性をハカリにかけて、安心できる方法を選択してください。

ＡＴＭと同様に、現金の両替所もタイ国内にはたくさんあります。日本円を受け付けていない両替所はありませんので、事前に円からＵＳドルに交換していく必要はありません。

事前調査のための必需品

初めての長期滞在であれば緊張もするし、不安にもなるでしょう。バッグになにを詰め込めばいいかの選択にも苦慮するかと思います。

だからといって、あれやこれやを新規に買い求める必要はありません。当座に使用する身のまわり品と、なくてはならない私物だけを集めて詰めれば大丈夫です。生活必需品や消耗品は現地で購

TIPS　外貨の交換レートは土日とタイの祝日を除いて毎日変動する。このレートを毎朝チェックする習慣を身に付けよう。

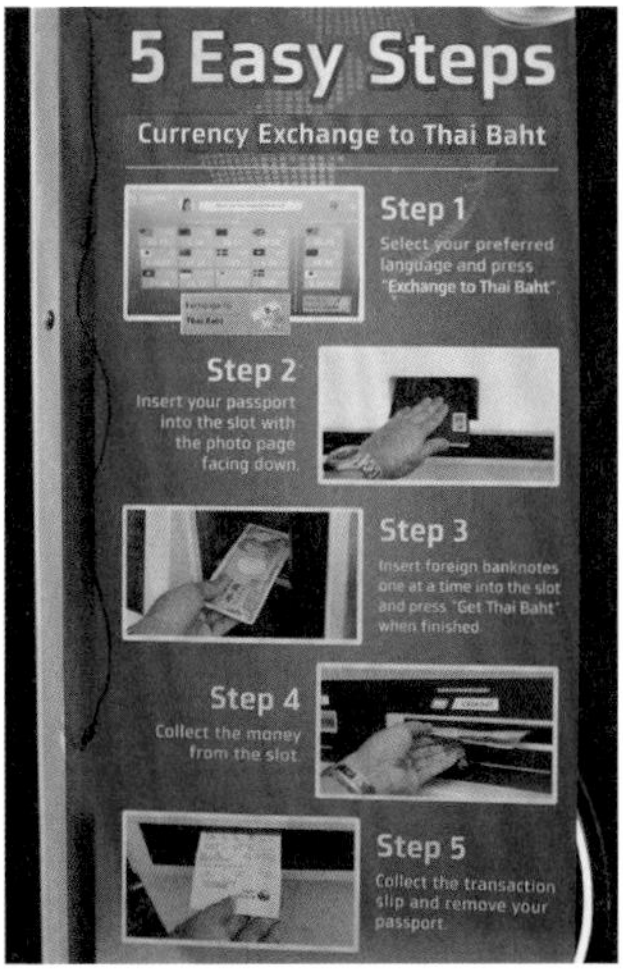

外貨自動両替機の使用方法。パスポートは必須

外貨はATMで引き出せるし、自動両替機も登場している

外貨の両替レートは毎日変動する

外貨の交換レートや手数料は金融機関によって変わる

ATMはどこにでもある。あえて探す必要はない

ATMから外貨を引き出す際はパスポート不要

現金から現金への両替は銀行より民間の両替屋のほうが交換率がいい

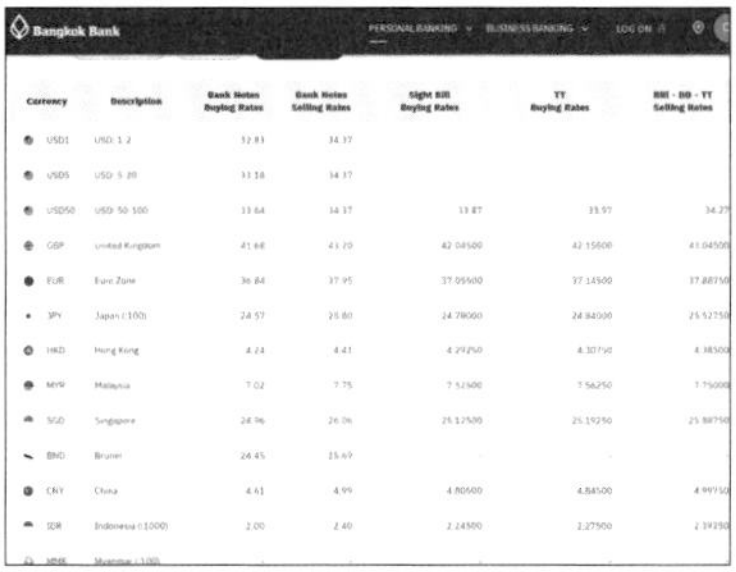

Currency	Description	Bank Notes Buying Rates	Bank Notes Selling Rates	Sight Bill Buying Rates	TT Buying Rates	BRE - DD - TT Selling Rates
USD1	USD: 1-2	32.83	34.37			
USD5	USD: 5-20	33.18	34.37			
USD50	USD: 50-100	33.64	34.37	33.87	33.97	34.27
GBP	United Kingdom	41.68	43.20	42.04500	42.15600	43.04500
EUR	Euro Zone	36.84	37.95	37.05500	37.14500	37.88750
JPY	Japan (:100)	24.57	25.80	24.78000	24.84000	25.52750
HKD	Hong Kong	4.24	4.41	4.29250	4.30750	4.38500
MYR	Malaysia	7.02	7.75	7.52500	7.56250	7.75000
SGD	Singapore	24.96	26.06	25.12500	25.19250	25.88750
BND	Brunei	24.45	25.69	-	-	-
CNY	China	4.61	4.99	4.80600	4.84500	4.99750
IDR	Indonesia (:1000)	2.00	2.40	2.24500	2.27500	2.39250

外貨の両替レートは各銀行のホームページからでもできる。これはバンコク銀行のページ
https://www.bangkokbank.com/en/Personal/Other-Services/View-Rates/Foreign-Exchange-Rates

入できるので心配はありません。

しかし、現地で買えないものがあったとしたら……。

それを知るのが今回の事前調査の目的です。「これはあるけどあれはない」が現実としてわかるのは、実際にそれがなくなってしまったときです。手に入らなければ命にかかわる場合は別にして、かわりの商品で対応できるなら、積極的にそれを使いましょう。

この事前調査では、生活必需品を完全にそろえておく必要はありません。むしろ手ぶらでタイまで行って、日本と同じものがそろうのかどうか、試してみるくらいがいいでしょう。なければないですごせるものか、現地で体験してみるのも重要です。

トラブルに直面した際に柔軟な対応と工夫ができるかできないかでも生活の快適さは違ってきます。サバイバルというには大げさですが、多少の不便さにも立ち向かう気概があれば、出発前の不安は消えるはずです。

事前調査での宿泊施設

未知の異国でいきなりアパート生活を始めるのは厳しいので、まずはホテルに宿泊します。そのホテルは日本で予約していきましょう。

ガイドブックなどを見て、目的にあったホテルを探します。予約はインターネットを活用しましょう。滞在中の全日程を予約する必要はありません。現地到着後から数日分の予約を入れて、気に入ったら滞在を延長し、そうでなければ現地で別のホテルを予約します。ノー・ビザで入国する際も、ホテル予約が入っていれば審査がスムースになります。

月一〇万円のタイ生活が念頭にあるなら、そのレベルに近いホテルを選択してください。そうすることにより、これからの生活でなにが必要になり、なにが不便かがわかります。

前項で「最低限必要となる固定費用は全出費の四〇％」という試算になりました。それにあてはめてホテルを調べると、

①一泊四〇〇〇バーツ超のホテル　↓月三〇万円超の生活レベル
②一泊二〇〇〇～三〇〇〇バーツのホテル　↓月二〇万円超の生活レベル
③一泊一〇〇〇～二〇〇〇バーツのホテル　↓月一五万円前後の生活レベル
④一泊五〇〇～一〇〇〇バーツ未満のホテル　↓月一〇万円内の生活レベル

となりますが、これでだいたい正しいはずです。現実的にはバンコクで一泊七五〇バーツ前後のホテルは、同じバンコク都内で月六〇〇〇バーツから八〇〇〇バーツのアパートに近い広さと室内環境に相当すると考えておけばいいでしょう。

本気で月一〇万円のタイ生活をスタートさせたいなら、まずは④の価格帯に該当するホテルを何軒か選んで泊まり、住み心地や寝心地を実感してください。このクラスでも選択を誤らなければ新

しくて清潔なホテルを見つけることができます。広々としたスペースはないでしょうが、単身であれば充分です。それが二人になると、ちょっと狭いと感じるかもしれません。そのあたりの実地調査も忘れずに行いましょう。

冒険心があるなら、このとき試しに一泊三〇〇バーツ（一二〇〇円）前後のホステルに泊まってみるのもおもしろいかもしれません。そうすることによって、月七万円前後の生活レベルを実感することができます。アパートに換算すれば、月三〇〇〇バーツ（一万二〇〇〇円）から四〇〇〇バーツ（一万六〇〇〇円）の部屋代になるでしょうか。それでエアコンが付いている物件も、バンコクにはまだあります。交通の便が悪くなってもいいのなら、月二五〇〇バーツでも見つかります。

エアコンがなくてもいいなら月二〇〇〇バーツ（八〇〇〇円）以下の物件もありますが、そんな部屋で暮らせるものかは利用する人次第です。それを確かめたいのなら、一泊二〇〇バーツ（八〇〇円）以下の部屋に挑戦してください。めっきり少なくなりましたが、その価格で個室を提供してくれるゲストハウスもまだあります。

そうした底辺とも呼べる宿泊施設を実際に体験して、なおかつ「これで充分じゃないか」と思えたら、月一〇万円でのタイ生活はさらに余裕のあるものになるでしょう。

TIPS 宿泊施設の名前が○○ホステルや○○ゲストハウスになっている場合、ホテルと名乗っている施設より部屋代が安くなっている可能性が高い。もちろんその分だけ部屋は狭くなる。

長期滞在者と短期の観光旅行者では
タイという国に求めるものが違う

1泊800バーツのホテルならエアコン、バス、トイレ付き

1泊500バーツ以下のゲストハウスではバスとトイレは共用になることがある

日本人向けのカラオケ屋やナイトクラブに通う必要があるのかどうか考えよう

地方の都市にも行ってみたい

できればこの事前調査の段階で、首都バンコク以外の都市や街にも足を運んでおきたいものです。その目的は、物価や生活習慣の違いを肌で感じ取ることです。バンコクだけを見てタイを知ったつもりになっていてはいけません。この国は大都市一極集中型で、バンコクにほとんどすべてがある反面、地方にはなにもなかったりします。最近は観光業の発展で東のパタヤーや北のチェンマイも便利になっていますが、そこでもにぎわっているのは繁華街だけで、車で一〇分も離れれば、一気に村の状態になってしまいます。

目線を変えると、田舎と都会の両方を得られるのが地方都市だと考えることもできます。行ってみたら「こういうところに住んでみたかった」と思える街が見つかるかもしれません。生活を始めてからでも遅くありませんが、地方への視察旅行はタイという国の広さと多様性を知るいい経験になるでしょう。

実際に現地で生活を始めると、積極的に観光しなくなるものです。そうなる前に、行けるところに行き、見られるものはどんどん見ておいて損はありません。

地方に行けば、物価は総じて安くなります。アパートの部屋代も、バンコク都内よりは安くなるでしょう。同じ金額だったとしても、新しかったり広かったりするはずです。騒音や公害などの環境問題も改善されるに違いありません。

一般消費財などの値段はほとんど変わりませんが、食費などは料理一品あたり五バーツくらいは

TIPS 首都での生活にこだわる必要があるのかどうか、最初にしっかり考える。

安くなるかもしれません。公定料金なので電気代や水道代はほぼ変わりありません。しかしガソリン代は、輸送料がかかる分だけ高くなります。それが附加されている商品は、その分だけ価格が高くなっていきます。

文化的には、地方に行けばいくほど英語が通じにくくなります。それがどれほどの不便をもたらすかは、実際に現地で体験するのが一番です。日本人の姿は、探しても見つからないかもしれません。それを寂しいと思うか、自由や誇らしさを感じるかによっても、快適さは違ってきます。

なんであれ無理はいけません。どのような理由であれ、生活していけないレベルの不便さを感じたなら、地方で暮らす選択は排除して、首都バンコクでの暮らしを検討します。

酒や夜遊びにひたっていたら、10万円など数日で消えてしまう

市場の中を走る列車。運行時は一帯が観光客で埋まる(メー・クローン)

日本人観光客の間でも大人気のピンク・ガネーシャ像(チャチューンサオ)

チェンマイやプーケットでは象と間近に接することができる

タイは敬虔な仏教徒が多い。長期滞在で仏教に親しむのもいい（バンコク）

徒歩で回れる範囲にも観光名所はたくさんある（バンコク）

日帰りツアーに参加して効率的に観光地をまわってみよう（バンコク）

第二章

月一〇万円で生活するための事前調査

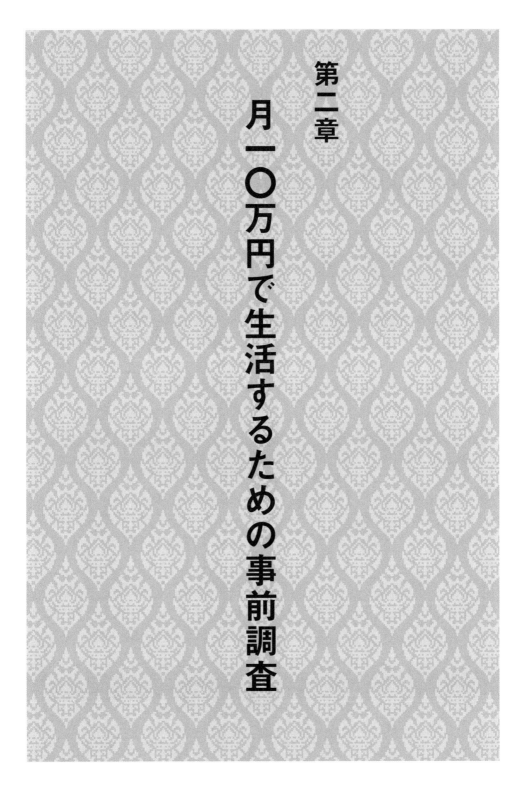

タイでの電話番号を持とう

タイに到着したら、できるだけ早いうちにタイ国内で使用する自身の電話番号を持ちましょう。日本国内の家族や知人に番号を告げ、安心させるのも生活を楽しむ方法のひとつです。逃亡したり行方を隠したりするような行動は心に陰を作ってしまい、精神を病んでしまう原因にもなります。いざというときに誰かに連絡できるのは、身寄りのない海外ではなにより頼もしい力です。

過去を断ち切り、すべてのしがらみから自由になるために電話を持たないという生き方もありますが、連絡がつけられる個人用の電話番号がないと銀行口座の開設もビザの申請もできません。アパートを借りる際も不審に思われます。

すべての申請や契約を終えてから新しい番号に変えるのはかまいませんので、とりあえず番号付きのＳＩＭカードを購入しましょう。

タイ国内で販売されているＳＩＭカードは、現在使用中のスマートフォンがＳＩＭフリーであれば、改造することなく使用できます。最近のスマートフォンは複数のＳＩＭが差せる仕様になっているので、日本で使っている番号とタイの番号を切り替えて使用する、いわゆる「二枚差し」が可能です。それができるかどうかは説明書を読んで確認しましょう。

TIPS iPhoneのeSIMはタイ国内のアップルストアで書き込める。

ＳＩＭカードはいつでも気軽に買える

ＳＩＭカードは、パスポートを持参すればタイの全国どこでも気軽に購入することができます。携帯電話の販売店でも買えますが、セブン・イレブン（セブン）を代表とするコンビニでも買えます。便利さで言うならコンビニでの購入になるでしょう。

難しい英語は必要ありません。レジで担当者に「シムカード」と言えば、なにを求めているかわかってもらえます。コンビニでは、レジの後ろの棚にＳＩＭとスマートフォンが並んでいます。使用できる期間や回線速度、データ容量の説明がありますが、「ツーウィーク（二週間）」や「ワンマンス（一ヶ月）」くらいは理解できる英語の力がなければこの先のタイ生活は厳しいものになりますので、その程度は勉強しておきましょう。

登録時に顔写真を撮られますが、これは携帯電話を使った犯罪を防止するためで、タイの法律で

SIMカードは屋台や露店でも売られている

旅行者用のSIMカードはセブン・イレブンで買うのが手軽で早い
https://www.7eleven.co.th/

TIPS　通話料金はコンビニの前などに設置されている自働チャージ機でいつでもチャージ（トップアップ）できる。

定められています。撮影を拒否した場合は購入できません。

店頭では通信会社での認証が完了し、通話やデータ通信が利用できるまで対応してもらえます。それを使用してみて不便だったり不都合が生じたら、通話料金を使い切ったところで使い捨てにし、別のＳＩＭを買い求めればいいでしょう。そのころにはタイで必要なのはデータ容量か、使用期限か、それとも回線速度かもわかっているはずですから、自身の使用スタイルに合わせたＳＩＭを選び直します。番号は変わりますが、そこは理解しておきましょう。

銀行口座も開いておきたい

この事前調査の段階で、できれば銀行口座を開設しておきたいところです。その口座に八〇万バーツ（三二〇万円）以上のお金が入っていないと、後で説明するリタイヤメント・ビザの取得ができません。ビザについては第六章で説明しますが、金融資産の証明は申請時の要件のひとつになっており、タイ国内に銀行口座を持っていない場合は違う方法で申請者の資産を証明する必要があります。

ただし、これはタイ国内でリタイヤメント・ビザを申請する予定の場合です。リタイヤメント・ビザを日本で取得していく計画なら、いまこの時点で口座を開いておく必要はありません。リタイヤメント・ビザが手元にあれば、タイの口座はかんたんに開けます。日本でビザを取得するなら、

セブン・イレブンは乱立気味で、タイの全国ほぼどこにでもある

プリペイド式のSIMカードは自動チャージ機でチャージ（トップアップ）できる

プルンチット通りにあるクルンシー銀行本店ビル（バンコク）
https://www.krungsri.com/

シーロム通りにあるバンコク銀行本店ビル（バンコク）
https://www.bangkokbank.com/

プロムポンのカシコン銀行スクムビット33支店（バンコク）
https://www.kasikornbank.com/

あとまわしにしても問題はありません。

「どっちみち開くことになるからいま行こう」と言いたいところですが、こちらはそうかんたんにはいきません。国際的なマネー・ロンダリングを禁止するため、外国人の銀行口座開設条件が非常に厳しくなっているからです。

このため窓口にいきなり行ってみても門前払いか、「労働許可証はお持ちですか？」と返されます。外国人がタイで銀行口座を開くためには、基本的には労働許可証（ワークパーミット）の所持が必須で、そのためにはまずノン・イミグラント・ビザが必要となりますが、これらはタイの会社で正式に労働していないと手に入りません。これらを所持していない、いわんや入国もノー・ビザであれば、窓口の担当者もお手上げです。

口座開設になにが必要かはバンコク都内にある大手銀行の本店に行き、「リタイヤメント・ビザの取得のために」と説明すれば教えてもらえます。日本人への顧客サービスに力を入れている銀行では日本語デスクが設置されているので、まずはそうしたサービスのある銀行で確認しましょう。もちろん、その前に口座を開く予定の銀行のホームページに目を通しておくことをおすすめします。

銀行窓口に行ってみる

ダメもとで開設にチャレンジしてみるなら、日本人在住者の多いスクムビットエリアの大手銀行

TIPS 日本であれば三菱UFJ銀行でも事前に調べることができる。タイの銀行窓口で申請する際に必要な書類も教えてくれる。

に入ってみるのがいいかもしれません。一時は「プロムポン（日本人が多い高架鉄道駅前）のカシコン銀行なら」「バンコク銀行のエンポリアム店だったら」という声もありましたが、現在は厳しくなっています。

挑戦者による「できた」「できなかった」という声は時期を問わず交錯しています。その理由の背後には、タイが強力なコネ社会になっている現実があります。タイは人脈金脈に関係なく人間同士のコネが重視される社会なので、それがありさえすれば不可能が可能になるのです。

外国人の銀行口座も、申請者本人が銀行の支店長と懇意にしていたり、あるいは懇意にしている人の親しい友人であれば、あっさり開くことができるでしょう。「外国人でも銀行口座が開けます」を謳い文句にしている業者や個人がいたら、そういうコネを使っていると考えて間違いありません。そこにいきなり縁もゆかりもない人間が飛び込んでみても、相手にされないのは当然です。

口座がかんたんにできる店舗とできない店舗があったり、また開設できたはずの店舗で突然拒否されることがあるのはこのためで、コネの効く頭取や支店長が異動すると神通力が使えなくなり、型どおりの対応しかしてくれなくなります。このあたりのグレーさは以前から指摘されているものの、いまだに解決されていません。

面倒な書類を用意することなく開設したいなら、こうしたコネを持つ人や業者に話を聞くのもいいかもしれません。もちろん手数料は必要です。

クルンシー銀行

TIPS　ノン・イミグラント・ビザを持っていれば口座開設に融通を効かせてくれる場合でも、ツーリスト・ビザやノー・ビザでは難しいかもしれない。

https://www.krungsri.com/jp/japan/home

カシコン銀行

https://www.kasikornbank.com/en/personal/pages/home.aspx

バンコク銀行

https://www.bangkokbank.com/en/Japanese-Section

タイ生活に必要なもの・不要なもの

生活の拠点とする場所を決め、自分自身の電話番号を持ち、自分名義の銀行口座を開くことができたら、タイ国内でリタイヤメント・ビザを取るための準備はほとんど終了です。残った時間はタイで快適に過ごすための調査に使いましょう。

まずは現地でなにが手に入るかの調査から始めます。生活を始めてから「しまった、あれがあったら……」と思うことはよくあります。生活必需品のほとんどはタイ国内で手に入りますが、日本でなければ買えないものもあるでしょう。それがなにかを調べておくのは重要なことです。

すでにコンビニに行っているなら、次はスーパーマーケットに行きます。タイにはコンビニを少し大きくしただけのようなものから、歩くだけで数時間かかるような超大型のものまで、多種多様かつ無数にこれがあります。最近はタイ人よりも在住日本人や外国人を主要顧客と考えているところも増えてきました。かなりの田舎に行かないかぎり、探すに困ることはありません。

スーパーマーケットを見つけたら、迷わずそこに入ってみて、ひととおり歩いて見てまわり、物資の流通具合を調べましょう。そうしているうちに、タイの物価が頭に入ってきます。生活に必要なものは日本より高いか安いか、それを知るだけでも大きな進歩です。

生活必需品や消耗品のほとんどが日本より安いことにも、すぐに気づくでしょう。それと同時に、月一〇万円での生活がそれほど困難でないこともわかってくるはずです。

庶民的スーパーマーケットの大手、ロータス。全国展開している
https://corporate.lotuss.com/

ドン・キホーテもタイに進出済み（バンコク）
https://www.dondondonki.com/th/

UFMフジスーパーは在住日本人にはなくてはならないスーパーマーケット（バンコク）
https://www.ufmfujisuper.com/

価格調査の開始

タイで暮らす期間が長くなればなるほど生活必需品や消耗品の量が増えます。一度の入国で一年分くらいは持ち込めるでしょうが、タイは未開の国ではないので、その必要はありません。日本人が日本で使っている商品の大半は、タイ国内でも買うことができます。

消耗品は現地で買うことを前提にして、この事前調査ではとりあえず必要なもの、現地では手に入らないものを中心に調べましょう。

シャンプーにリンス、石けん、男性であればひげ剃り、女性はスキンクリーム、洗濯するなら洗剤などでしょうか。タオルやバスタオルも必携です。服に下着に靴下、足元は靴やサンダル、頭には帽子と、リストアップしていくときりがありません。

これらが売られているのはコンビニでありスーパーマーケットでありデパートメント・ストア（デパート）であり市場です。宿泊しているホテルを軸にして、順に回っていきましょう。

もっとも手軽なのはＳＩＭカードも売られているコンビニです。大きめの店舗であれば、ちょっとしたスーパーマーケットなみの品揃えになっています。

タイのデパートは、このスーパーマーケットより高級感のある店構えです。有名なブランドショップがテナントとして入っていて、衣類なども日本と同じくらいかそれ以上の価格になりますが、カジュアルからフォーマルまでほとんどすべて揃います。

このデパートにスーパーマーケットを足したような商業施設をショッピングセンターと呼び、そ

生鮮食料品は市場に行かなくてもスーパーマーケットで手に入る

衣食住にかかわる商品がすべて売られているタイの市場

衣類などは市場や露店で買うと安い

ロータスに並ぶ庶民的スーパーマーケットの大手、Big Cの店内
https://www.bigc.co.th/

日本料理用の食材もローカルスーパーで売られている

まとまった数の商品が必要なら問屋街に行くとさらに安く手に入る

日本では着るのをためらう派手な柄で決めてみるのも楽しい

こに雑多なテナントをさらに押し込んで巨大化させたのがショッピングモールと考えてください。日本でいえばイオンモールのようなもので、スーパーマーケットにテナントモールと飲食店街、そしてミニシアターが詰めこまれています。ショッピングモールの開店は最近のブームにもなっており、繁華街や郊外を問わずあちこちにあって非常に便利です。

市場は日本のそれとは違い、その場で競りなどは行われません。一般的には屋根の付いた広い場所に小さなブースが多数作られ、生鮮食料品を中心に商いが行われます。その周辺に衣類や雑貨を売る商店や露店が集まって、壮大な屋外商業空間が築きあげられます。スーパーマーケットやデパートと違って、どこから売り場になっているのかわかりません。路上がなんとなくにぎやかになっていって、最後に屋根のある体育館のような場所にたどり着いたら、そのあたりが市場だったという感じです。

このようにタイの商業施設はそれぞれに個性があり、興味本位で歩いても飽きることがありません。どの商品がどこで売られていて、どこで買うのがもっとも安いか、足で探していきましょう。そうしているうちに街の雰囲気を掴むことができるし、住みやすい場所も発見できるようになります。

タイ人は月額いくらで生活しているのか

そもそもタイ人は、月額いくらで生活しているのでしょうか?

タイ人の月収は、バンコクを含む首都圏で一二万円（三万バーツ）あたりとされています。これはある程度名の通った会社で勤務し実績がある場合で、個人経営の会社などでは八万円（二万バーツ）前後になります。勤務経験のない大卒あたりでは、もちろんもっと下がります。

彼らはこの給料で家賃を払ったり車やバイクのローンを組んでいます。お小遣いとして使える金額は、さらに少ないものになるでしょう。

そんな彼らと同じように生活していれば生活費は日本よりかなり低く抑えられます。いわゆる「タイ人化」することによって、出費も一般タイ人と同じレベルを維持できます。

この逆に、生活費が日本より高くなるのはどんな場合でしょうか。

それはタイ人とは違う生活をしている場合にほかなりません。こちらは「非タイ人化」とでも呼べばいいのでしょうか。タイにいながら日本にいるつもりで暮らしている人たちが、これに相当します。

日本製品は配送料や税金といった輸入コストがかかるため、日本国内で販売されているより価格が高くなります。食品や消耗品に限らず、すべて必ずそうなります。安くなることはありません。それらを購入していたら、日本で生

ロータス・スーパーマーケットの求人。月給は12620バーツ

バンコクでの求人。この店では13000バーツ+++の月給

活しているより出費は増えます。日本で暮らすよりも生活コストを下げたいなら、日本からの輸入製品に頼らない生活スタイルを築く工夫をするしかありません。

タイの料理

タイ人の主食はタイ料理です。タイ料理であれば、この国のどこに行っても食べることができます。

国民の主食ですから値段も高くありません。味も種類もとても豊富で、すべてを食べ尽くすことなどできそうにありません。郷土料理もふんだんにあります。バリエーションの豊かさでは他の国々の追随を許しません。

メニューの種類も豊富です。タイは周囲を四つの国に囲まれています。北から時計回りにラオス、カンボジア、マレーシア、ミャンマーと並びますが、料理の傾向はかなり違っています。共通するのは主食が米であることくらいでしょうか。どれも同じように見えたりもしますが、味も香りも違っています。

そこに加えて中国があります。多くの移民を受け入れてきた関係で、タイには中華料理と呼べる料理がたくさんあります。そのどれもが現地化して一般化し、すでにタイ料理との区別がつかなくなっていたりもします。

タイ料理には馴染みのない日本人でも、中華料理なら日常食です。「タイ料理は……」と一概に敬遠せず、まずは口にしてみる習慣を身に付けてください。合う合わないは、それから決めることにしましょう。

ラーメンと焼飯

さて、ここで月一〇万円の食生活について具体的に考えてみることにしましょう。

日本人の間で最も一般的なタイ料理は「カオ・パット」と「バミー・ナーム」です。ずばりタイの焼飯（カオ・パット）とラーメン（バミー・ナーム）で、日本の国民食といってもいいでしょう。「滞在中はこれしか口にしない（口にできない）」と胸を張る日本人が数え切れないほどいる、日本人の口に最も合った料理です。

タイの飲食露店。できあがった総菜を指差して購入すればいい

バーベキュー屋台や露店はあちこちにあって不自由しない

さつま揚げを販売している屋台。つけダレはかなり辛い

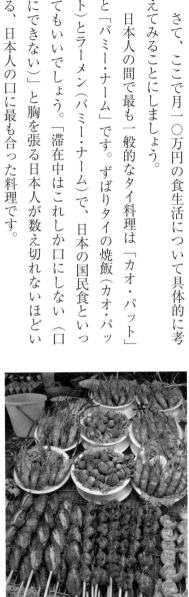

カオ・パットはタイ語で「カオ（米）」＋「パット（炒める）」で焼飯そのままを意味しています。調理方法も見た目も焼飯そのもので、味は中華飯店のそれとはやや違いますが、普通に焼飯として誰もが受け入れられるものになっています。

これらが純粋なタイ料理と呼べるかについては異論もあるでしょうが、この二品だけはタイ国内のどこに行っても口にできないことはありません。そうした安心感もまた、日本人に支持されている理由のひとつです。

それくらいどこにでもある料理なので、値段は全国でほぼ均一となっています。カオ・パットもバミー・ナームも四〇バーツ（一六〇円）が基本で、カオ・パットに目玉焼き（カイ・ダーオ）を乗せたもので五〇バーツ（二〇〇円）、バミー・ナームのチャーシュー（ムー・デーン）増しが、やはり五〇バーツで販売されています。

量的にも質的にも、この二品でタイ式の一汁一菜が完成するといっても過言ではありません。一種のチャーハン定食とでも言いましょうか、これでだいたいは満腹になれます。

月一〇万円生活の飲食予算

この「チャーハン定食（バミー定食）」により、安くて八〇バーツ（三二〇円）、高くても一〇〇バーツ（四〇〇円）で一回の食事が終了することになります。やや強引ですが、このセットを基本

持ち帰り用として売られているバミー。
スープは別の袋に入れてもらえる

麺、チャーシュー、青菜と基本がそろったバミー・ナーム

麺屋台の全国チェーン「ホーデン」。
タイ全国の至るところで営業している

シンプルな醤油味のバミー。具はいろいろと選択できる

タイの焼飯カオ・パットに目玉焼き（カイ・ダーオ）を乗せたもの

カオ・パットはどこの食堂でも人気だ

บะหมี่น้ำ

バミー・ナーム
（タイのラーメン）

ข้าวผัด

カオ・パット
（タイの焼飯）

バミー・ナームとカオ・パットのタイ文字は、このまま丸暗記してしまおう

にして一ヶ月の食費を算出してみましょう。

——朝はどちらか一品で軽く五〇バーツ。
——昼は二品で一〇〇バーツ。
——夜も二品で一〇〇バーツ。
——午後にコーヒーブレイクを取るとして一杯五〇バーツ。

タイの料理は全般に量が少ないので、体の大きな男性は一品では物足りないかもしれません。そうなると一回の食事に二品が必要になるとして八〇バーツ（三二〇円）になり、そこに飲み物（二〇バーツ）が加わって、合計一〇〇バーツ（四〇〇円）が求められます。

これで一日の食費の合計が三〇〇バーツ（一二〇〇円）になりました。一ヶ月にすると三〇〇バーツ×三〇日で九〇〇〇バーツ、日本円にすると三万六〇〇〇円ということになります。

第一章で家賃を含む固定費の目安を四万円と計算しましたから、合計して七万六〇〇〇円。一〇万円の予算から引くと二万四〇〇〇円が残る計算になります。

この食生活を続けることにより、一日あたり八〇〇円、バーツに換算して二〇〇バーツが使えることになりました。もっともこれは非常にアバウトかつ楽観的な計算ですから、実際の出費はもう少し増えると思われます。

たとえば、お酒を飲む方はビール代が入るので出費は増えます。それを含めて飲食費を一日五〇〇バーツ（一二〇〇〇円）で計算すると、一ヶ月で一万五〇〇〇バーツ、日本円にして月六万円になります。毎日五〇〇バーツ使って飲み食いすると、それだけで月一〇万円の限度額に達してしまうわけです。

このように考えると、一日の飲食費は最高でも四〇〇バーツ（一六〇〇円）以内に抑えたいところ。そうすることによって一ヶ月で一万二〇〇〇バーツ、日本円にして四万八〇〇〇円になり、一万二〇〇〇円が手元に残ります。タイの通貨換算では三〇〇〇バーツ（一万二〇〇〇円）となり、生活費と食費のほかに一日あたりのお小遣いとして一〇〇バーツ（四〇〇円）が使えるようになります。なにに使うかにもよりますが、これを少ないと思うか余裕と考えるかによって、タイでの暮らしや生き方が大きく変わっていくでしょう。

あとは贅沢すればするほど出費が増えていく計算になります。

小食の方ならもう少し減らせるかもしれませんが、無理に下げるのはよくありません。これまで何度も説明しているように、身を削ってまで海外で生活するのは、まったくおすすめできません。

とにかく「最低でも一日三〇〇バーツの食費は必要だ」と考えるようにしてください。これ以下に下げるのは、健康面でも精神衛生面でもマイナスにしかなりません。

毎日コーヒー一杯くらいは許される経済的余裕を持ちたい

最近は種類も豊富になったタイのビール。味もそれぞれ違う

あえて日本料理屋にも行ってみる

タイ料理が舌に合ったなら問題はありません。月一〇万円でのタイ生活は、きっと楽しいものになるでしょう。

しかし、この現地調査では、できるだけいろいろな体験をしておく必要があります。たとえば「タイ料理だけで充分」という方でも、とりあえず現地の日本料理屋には行ってみてください。味のレベルを知るだけでなく、各料理の値段と会計もしっかり確認しましょう。

昼はほとんどの店でランチセットを提供しています。これは定食形式のサービスメニューで、お手頃の価格で日本料理が食べることができ、タイ人のオフィスワーカーの間でも普通に利用されています。

価格は、安い店では一五〇バーツ（六〇〇円）あたりから。納得できる質と量であれば二〇〇バーツ（八〇〇円）以上は必要ですが、メインメニューのおかずにご飯（日本米）、味噌汁、小鉢、漬物が付けられていて、日本の食堂で出てくるものと遜色はありません。これで味と雰囲気をみて、夜にもう一度訪れてみるのがいいでしょう。

ただし、タイでは日本料理店に限らず、レストランと呼べる形態の飲食店では飲食代にVATと呼ばれる消費税（七％）とサービス料（一〇％）が加算されるのが通例です。このため二〇〇バーツの定食を注文した場合、会計では二三〇バーツ（九二〇円）超の代金が請求されます。

また、日本と違って水は無料ではありません。飲み物は別に注文しなければならず、そこにも一

本格的な日本のラーメンも普通に食べられる（バンコク）

200バーツ超でもこれくらい充実した和定食をいただける（バンコク）

七%が加算されます。

結果、席に着いて二〇〇バーツの定食を注文すると、請求書の金額は三〇〇バーツ（一二〇〇円）前後になっているはずです。日本料理店で昼食をとったら、だいたいそのくらいはかかるということを頭に入れておきましょう。

最近はタイ人のタイ人によるタイ人のための日本料理屋も増えています。いやもうすでに、そういう店のほうが多くなっています。それでもやはり、巷の食堂でいただくタイ料理よりは高いものになっています。

しかも残念なことに、一部の店以外では、お昼時以外は定食のサービスがありません。日本料理店で夕食を……となるとアラカルトからの注文となり、お得感はなくなります。

付け加えると、タイは酒税の高い国なので、料理に比べるとビールは割高です。日系の日本料理店は酒の売り上げで経営を成り立たせているところが多いのでさらに高くなり、小瓶でも一二〇バーツ（四八〇円）から一五〇バーツ（六〇〇円）はします。ここにも一七%が加算されますので、会計時には一四〇バーツ（五六〇円）から一八〇バーツ（七二〇円）の請求になるでしょうか。

TIPS　チップは屋台や食堂では不要だが、きちんとしたレストランやバーでは残しておくのが望ましい。

ですので晩酌しての食事となると、安くても一人五〇〇バーツ（二〇〇〇円）は必要になりますが、現実的には一〇〇〇バーツ（四〇〇〇円）くらいの出費は覚悟して暖簾をくぐらないと、わびしい時間を過ごすことになります。

月一〇万円の飲食経済について考える

さて、ここからが月一〇万円で生活するための経済です。まずはタイでの食事を日本料理を中心にしてみたらどうなるか、考えてみましょう。

朝は適当に軽くすませるとして省き、昼と夜はミニマムの注文をした場合の出費となると、次のようになります。

昼　三〇〇バーツ（一二〇〇円）
夜　五〇〇バーツ（二〇〇〇円）
計　八〇〇バーツ（三二〇〇円）

これを一ヶ月（三〇日）続けたとすると、二万四〇〇〇バーツになります。円に換算すると九万六〇〇〇円になり、総予算である月一〇万円の九六％にも達してしまいます。もちろん、これでは家賃も払えません。

一五日間に限定したとしても、日本料理代だけで一万二〇〇〇バーツ（四万八〇〇〇円）になり、残り一五日間をタイ料理にしたとしても食事代は合計一万六五〇〇バーツ（六万六〇〇〇円）になります。昼と夜を別の日に分け、一日に一度だけ日本料理店に入る生活にしたところで月末には破産するしかありません。

つまり、このような「日本料理を軸とした生活」は、月一〇万円ではできないということになります。

しかし、絶望する必要はありません。日本料理店に昼夜七日間入るだけでしたら五六〇〇バーツ

しっかりした店構えの飲食施設では会計に7%のVATと10%のサービス料が加算されるのが常識

VATとサービス料を加算しない店は逆にそこをアピールポイントにしている

飲料水は無料ではないが、熱中症対策としてどんどん摂取したい

（二万二四〇〇円）になり、一ヶ月の食事代は一万一九〇〇バーツ（四万七六〇〇円）に収まります。昼と夜を別の日に分ければ月に一四回、二日に一度はエアコンの効いた日本料理店に入れることになります。

日本からどうしても離れられない場合は、生活スタイルをこのあたりに定める必要があります。

食習慣を変えてみる

ただ、異国であるタイに来てまで日本での日々を追いかける必要があるのでしょうか。それを最初に考えましょう。

日本人だから日本料理を食べなければいけない？

いや、そんな義務などありません。

習慣だから食べているのだとしたら、やめてみたってかまいません。そんなつまらないことで文句を言う人がいたら、その人はタイでの楽しい生活を妨害していると思いましょう。

「意地でも食べない」と胸を張る必要はありませんが、無理して口にすることもないはずです。タイ料理がおいしく、しかもそれが好きだというなら、毎日食べればいいだけのこと。なにしろここはタイなのです。誰がなんと言おうとも、この国で最もおいしい食べものは、タイ料理しかありません。それを口にしない理由がいったいどこにあるのでしょうか。

正直なところ月一〇万でのタイ生活は、それほど難しくはありません。ただ、そのための条件のひとつとして、タイの料理を「楽しく」「おいしく」食べられることがあります。成功するしないは、ほぼこれにかかっていると言えなくもありません。

何度でも書きますが、日本料理から離れて暮らせないという方は、月一〇万円での生活をあきらめるか、あらかじめ月一五万円くらいは使う計算をしておきましょう。

帰国したら

事前調査を終えて帰国したら、次の段階に入ります。まずは調査結果を見直します。はたしてタイという国は長期にわたって暮らすにふさわしいところか。あるいは自分自身がそれに耐えられるかどうか、楽しく生きていけるかどうかを熟考します。

答えがＹＥＳとなったなら、一歩前に進みましょう。

写真メニューを貼り出している食堂。これならタイ語がわからなくても注文できる

調理済みの総菜を並べて売る露店。食べたい料理を指で示せば注文完了

ビザを取得していくかどうか

まずはビザをどうするか決めます。

ビザの詳細については第六章で説明しますが、日本で取得していくか、それともタイ（あるいはタイを経由した第三国）で取得するかを決めます。日本で取得するなら、すぐに手続きに入りましょう。

日本で取得せず、ノー・ビザでタイに入国してからビザを取得する計画なら、その際に必要となる書類などを集めて準備します。なにが必要かについては事前調査で明確になっていなければなりません。

ビザの取得にかかわらず、タイ行きの航空券は往復で購入します。帰国の予定が未定でもかまいません。とりあえず仮の帰国日を設定してチケットを買い、必要に応じて変更します。

その際に変更手数料が必要になるかどうかはチケットの種類によって変わりますので、詳細は航空会社で確認してください。多くは不注意によりますが、「安い！」と思って買ったそのチケットが変更が効かないものだったり、できても高額の手数料が必要になることもあるので気をつけましょう。

「当分帰ってこないから片道でいい」と言えるのは、日本国内でリタイヤメント・ビザを取得した方だけです。リタイヤメント・ビザはタイ国内で半永久的に延長ができるので日本帰国用のチケットがなくても入国できますが、それ以外のビザ、あるいはノー・ビザではタイの入国以前に出国もできないのは第一章で説明したとおりです。

本格的に荷物をまとめる

事前調査で得られたデータを元にして「日本にはあるがタイにないもの」を中心に荷物をまとめます。

タイで長期生活に入るのが確定しているなら、荷物もまとめて持っていきます。それにしたところで引っ越しのような大荷物は不要です。お気に入りの身のまわり品などをまとめてスーツケースに詰め込めばいいでしょう。

タイにも日本にもあるもののほとんどは、タイのほうが安く買えます。事前調査でわかったこの事実を元にして、いずれなくなってしまう消耗品は現地で買うことにし、日本で買うしかないものを中心に買い集めます。

それらを一年分くらい買ったとしても、個人で使用する目的であればタイの税関でとがめられることはありません。もっともすべての生活必需品を一年分買ったらスーツケース二個では収まりきらないはずです。

日本への帰国は次回の出発の始まりだ(東京国際空港)

日本航空、全日空、タイ航空はスーツケース二個まで、各二三キロまで追加料金なしで運べるため、大型のスーツケースがふたつあれば、かなりの物品を持ち込むことができます。狭い部屋でしたら、それだけで窮屈になってしまうので、限度も考慮しましょう。

このとき忘れがちなのが医薬品です。

医療の充実しているタイには薬局があちこちにあり、家庭常備薬のほとんどが手に入りますが、ブランドの大半は海外メーカーのもので、成分は同じであっても商品名には馴染みのないものばかりです。日本メーカーの製品は手に入らないか、あっても高いと思いましょう。

なくてはならない医薬品または医薬部外品は、必要に応じてまとめ買いするのも一考です。

既往症があり、病院から薬を処方されている場合は担当の医師に相談し、タイの病院でも対応できるか確認します。日本の医者が処方する薬のほとんどはタイでも買えますが、タイでもやはり処方箋が必要です。既往症があるなら、その病名くらいは英語で言えるようにしておきましょう。

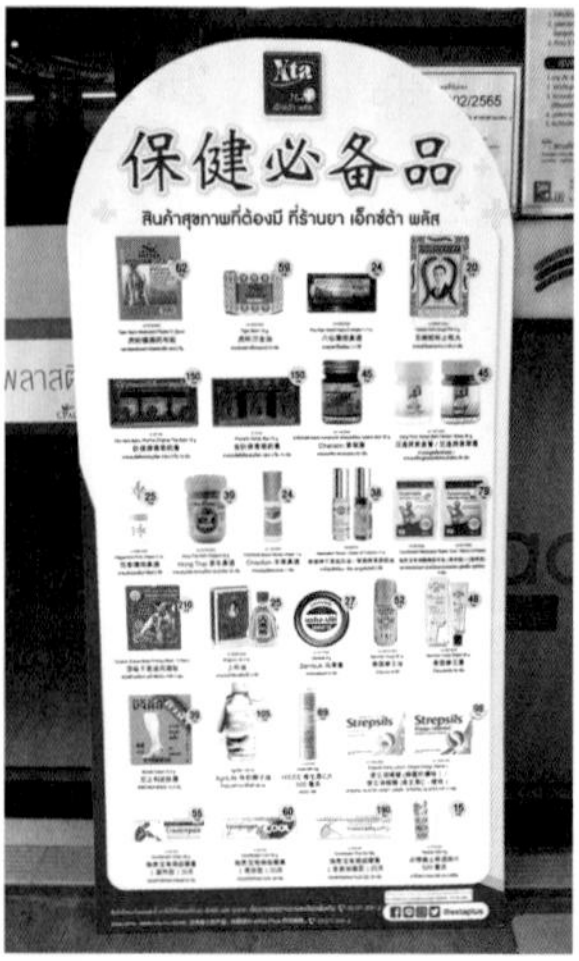

セブン・イレブンに併設された薬局での人気商品一覧

TIPS 処方箋なしでも売るアンダーグラウンドな薬局もあるが、医薬品の取り扱いは医療関係者にまかせるべき。

第三章

月一〇万円で生活するための部屋探し

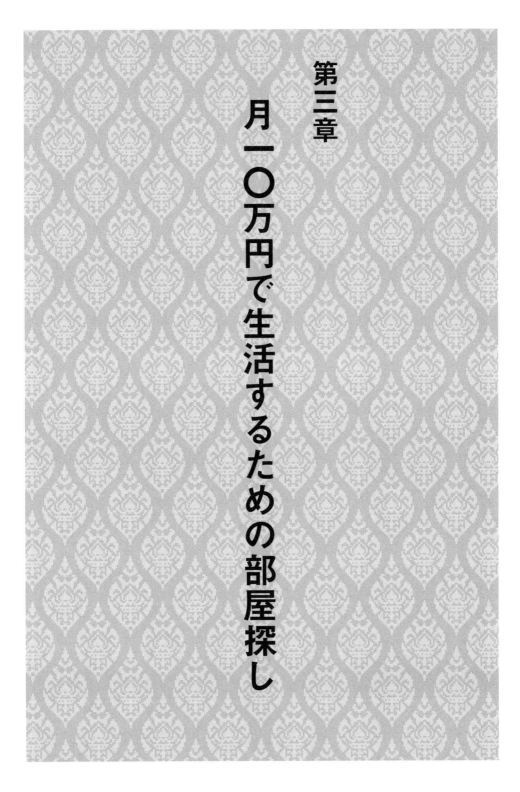

タイの不動産物件

タイの賃貸用不動産物件にはいくつかのカテゴリーがあります。

最も一般的で賃貸価格が安いのは「アパートメント（アパート）」です。これは日本で言うところのアパートと同じと考えてください。「マンション」と称している物件もありますが呼び方が違うだけで、これもアパートと思って間違いありません。第一章で説明したホテルのカテゴリーでいえば、一泊七〇〇バーツ（二八〇〇円）以下の部屋に相当します。

このアパートの前に「サービス」の文字が付いた「サービスアパートメント」はハウスキーピングによる部屋の掃除、ベッド・メイク、衣類の洗濯サービスなどが付帯する物件です。ただのアパートとは高級感も賃貸料もまったく違うと考えましょう。

こちらはホテルでいえば一泊三〇〇〇バーツ（一万二〇〇〇円）超のクラスでしょうか。一般的には短期の企業出張者などが利用する物件で、月一〇万円で暮らそうとする人には手が届きません。

「コンドミニアム（コンドー）」は日本人が考えるマンションのことで、基本的には賃貸ではなく販売物件になります。賃貸コンドミニアムは購入した物件をオーナーが個人的に貸しているもので、これもサービスアパートメントと同じくらい高額の賃貸料が発生します。

ほかには一戸建てやタウンハウスと呼ばれる長屋形式の準戸建て物件がありますが、土地価格の高いバンコクでは気軽には借りることができません。ただ、地方に行くとサービスアパートメントやコンドミニアムが少なくなる一方で、こうした一戸建てやタウンハウスの賃貸が目に付くようになります。物件によってはバンコクのアパートと同じくらいの価格帯で貸し出されているので、庭が欲しい方は探してみてください。

極めて一般的な庶民のアパート。これで1室5000バーツ前後（バンコク）

日本人入居者を歓迎するアパートには日本語での空室案内が貼り出されている（バンコク）

家賃が安めのアパート。エアコンの装備なしで1室2000から3000バーツ前後（バンコク）

家賃が安めのアパート。1室3000バーツ前後から（バンコク）

中級クラスの新築アパート。1室15000バーツ前後から（バンコク）

อพาร์ทเม้น

アパートメント

แมนชั่น

マンション

คอนโดมิเนียม

コンドミニアム

これらの文字を丸暗記しておくと
物件探しがかんたんになる

部屋の設備について

亜熱帯に属するタイにおいてはエアコンとホットシャワーは必須の設備と思ってください。これらが備わっていない物件の賃貸料は極端に下がりますが、外国人が住むには厳しくなります。

そこまで暑いのならホットシャワーなど不要と思われるかもしれませんが、乾季のタイは気温がかなり下がります。寒さには慣れているはずの日本人でも一二月から一月にかけては、体が震えて水シャワーでは耐えられません。気温が一〇度以下にまで下がる北部や東北部では、朝夕の寒さはさらに厳しいものになります。シャワーを浴びるのにも忍耐が必要になりますが、その前に、そこまでしてタイで暮らす必要があるかどうかを真剣に考えるべきでしょう。

このような国のバスルームにはバスタブが設置されていません。驚くことに、タイでは新築の一戸建て物件のバスルームにもバスタブがありません。希望者は入居後に設置しますが、狭すぎてバスタブを運び込めないことすらあります。

また、たとえバスタブが設置されていても、お湯が張れない場合がほとんどです。

タイの給湯システムはガスではなく電気で、それもシャワー用の小型のものしかありません。これでバスタブになみなみとしたお湯を張ろうとすると、ヒーターが焼き付いて故障します。本気で日本並みの湯に浸かりたいなら本格的な給湯タンクが必要ですが、用意されているアパートは皆無です。

トイレは、タイでも最近はほとんどが洋式便座です。ただし、非常に安い物件や地方のアパートでは日本の和式にも似たタイ式のしゃがみ込み式便座が残されています。そのあたりの快適性も、事前にしっかり確認しましょう。

部屋に備わっている家具

タイのアパートに備わっている家具は、

1　ベッド
2　クローゼット（洋服ダンス）
3　ドレッサー（鏡台）

の三点で、どの部屋でもこれだけは付いていますから、ホテルと同じように借りた瞬間から住むことができます。

ただし、これは家賃が二〇〇〇バーツ（八〇〇〇円）／月のクラスまでで、それ以下の部屋になると空っぽの状態で貸し出されます。部屋の中にはなにもありません。床に直接寝たくなければマットを別に購入する必要があります。物件によってはカーテン

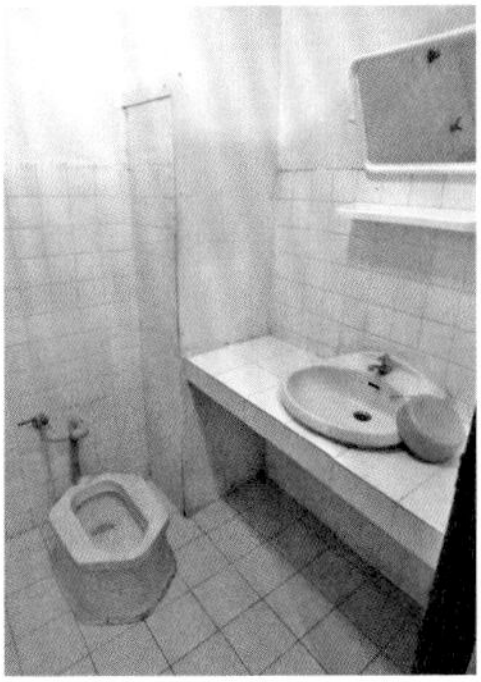

安アパートの便座はいまもタイ式が普及したまま

便座は洋式が増えてきたが、これは入居前に確認したい

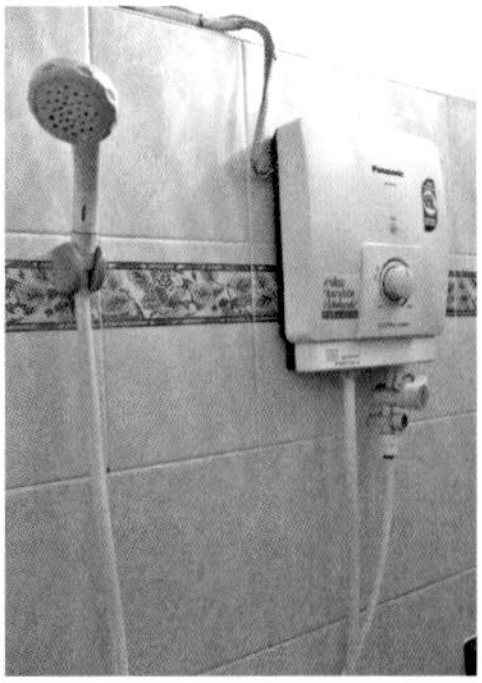

タイのホットシャワーは電熱式が基本。ボイラー式はほとんどない

すらも付いていないので、こうしたことも含めて大家と一緒に確認しましょう。

ベッドは、基本的にはシングルまたはセミダブルですが、物件によってはダブルやツインも用意されています。必要に応じて探しましょう。

冷蔵庫とテレビは、一般的にはオプションです。必要があれば、部屋とは別に契約して月決めで借ります。最初から長期間に渡って住む予定なら入居後に個人で購入したほうが、結局のところは安くなります。

洗濯はコインランドリーを使うのが一般的なので、洗濯機をレンタルとして用意しているところはほとんどありません。

キッチン付きの物件はほとんどない

タイにおいては、キッチン付きの物件はほとんどないと考えていいでしょう。また、あったとしても賃貸料が総じて高いと考えてください。食器などはバスルームの中またはその近くに備えつけられた洗面台で洗います。

キッチンがないので本格的な調理はできません。もとよりこの国では防災上の観点からアパートやコンドミニアム内でのガスの使用が禁じられています。たとえ流し台や調理台があったとしても、室内にガスは引かれていません。都市ガスは最初からどこにも引かれていません。これは高級コン

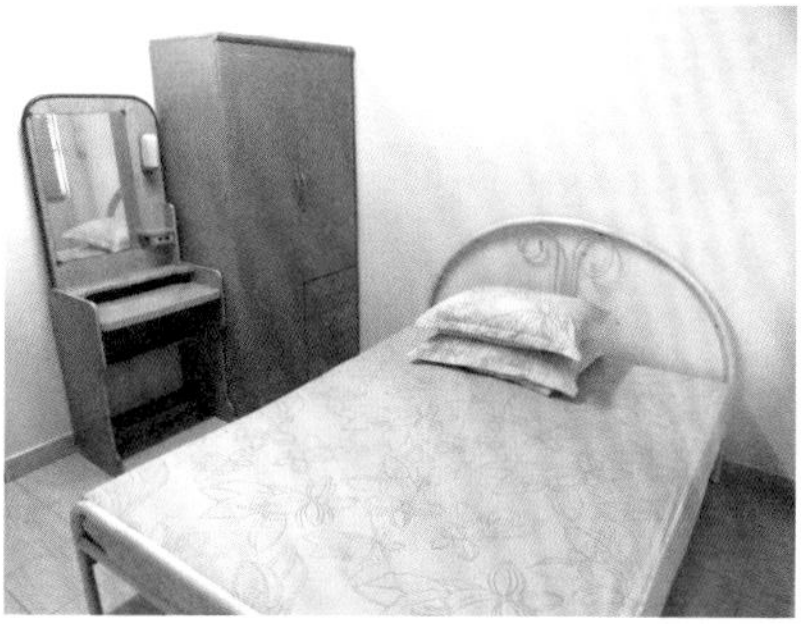

こちらも1室5000バーツのアパートだが、シーツや枕が用意されている（バンコク）

1室5000バーツのアパート室内。ここではシーツや枕は入居者側で用意する（バンコク）

2名の入居者が想定されている1室9000バーツのアパート室内（バンコク）

地方都市での1室4000バーツのアパート。室内はかなり古びている（タイ中部）

高級コンドミニアムのキッチン。調理器具はすべて電気式

テレビや冷蔵庫はオプションでレンタルされる。その用意がないアパートもある

タイには都市ガスがなく、すべてプロパンのボンベ式。アパート室内での使用は禁止

ドミニアムでも市中の飲食店でもみな同じです。
どうしても室内で調理したい場合は電磁調理器具を使用するしかありません。

部屋をどのように利用するか

一日に何時間その部屋にいるかでも必要とされる物件は変わってきます。静かで落ち着ける午後を求めているなら、それを探すしかありません。テラスやベランダにビーチチェアを置いて昼寝がしたいなら、それができる物件を探しましょう。

テラスやベランダは安い物件でも付いています。眺めはあまり期待できませんが、郊外に出ると高い建物もなくなり、見晴らしのよい物件も見つかります。

第一章で検証しましたが、タイでも首都バンコクの比較的中心部で暮らすなら、食費を含まない生活費で月一万バーツ（四万円）は必要となります。これは部屋で過ごすことの多い長期生活者のための試算ですが、あえてこれより家賃の安いアパートを選択し、浮いたお金を節約して、たまに出かけるタイ国内旅行ではゴージャスなホテルに宿泊するライフスタイルもあります。一点豪華主義の変形ですが、そのような考え方があっても間違いはありません。

周囲に迷惑さえかけなければ、どのような生き方をするのも自由です。タイでの長期生活に求めるポリシーと自身のライフスタイルに合わせる形で部屋を探していきましょう。

陽当たりの悪い部屋

タイでは陽当たりの悪い部屋ほど人気があります。

たとえば四階建てのアパートがあるとすると、日本人は無条件に最上階の部屋を目指しますが、タイ人は一階または二階までの部屋をよしとします。外の景色はほとんど見えず、風の通りも悪くなりますが、タイではそれが好まれる部屋だったりします。

上階に行けばいくほど陽のあたりがよくなります。それはつまり室温が上昇することを意味しています。階数が増えるごとに室温は一度から二度上昇すると考えておけば間違いないでしょう。これは日中の最も気温が高い午後二時前後に視察すれば実感できます。

室温が高くなれば、エアコンの稼働率はそれだけ高くなります。月々に支払う電気代もまた高くなることも考慮しておかねばなりません。

さらには部屋の向きにも注意が必要です。陽当たりのいい西向きの部屋は、午後には室温が四〇度以上になっています。そんな部屋では室外機も直射日光にさらされているはずで、エアコンを全開にしたところで効いてはくれません。他の部屋に比べて電気代が異常に高かったら、部屋の向きを疑ってみましょう。発火寸前まで室外機がフル可

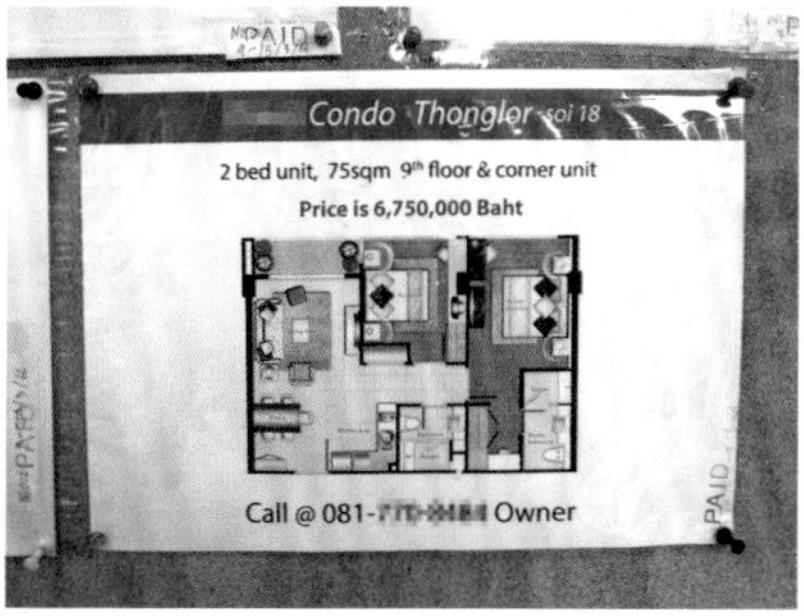

売りに出されている中古マンション。価格は立地や築年数で大きく変わる

契約してすぐに入居できるサービスアパートメント。30万円/月くらいの家賃が必要

動している可能性があります。

こうした事態を避けるため、タイ人は下層の階を好みますが、あまりにも安い部屋は陽当たりも風の通りも悪すぎてジメジメとかび臭くなっています。健康への害も出てきますので、物件はそのあたりのバランスも考えながら探してください。

治安も考慮する

タイでは、部屋代の安さばかりを追い求めるのは考えものです。

安さに釣られて契約する前に、周囲を見渡してみましょう。家賃の安い物件では、設備うんぬん以前に居住環境もかなり悪くなっているはずです。

激安物件に住んでいる人たちは、好きでそうしているわけではありません。それだけしか支払えないから住んでいます。経済的に豊かであれば、それに見合った部屋を借ります。厳しい経済格差のあるこの国で激安物件に住むのは、そうした人たちの社会に入るということにほかなりません。

日本人は金持ちだと、タイではいまだに思われています。その「カネ」を狙われることも考えておかねばなりません。治安は家賃に比例して悪くなるという現実も、しっかりと頭に入れておいてください。

高級物件に入れば狙われないという保証はありませんが、危険度は下がります。そうしたリスクも頭に入れて、住環境を整えましょう。

まずは住んでみる

見知らぬ街でいきなりのアパート生活は厳しいと考えるなら、事前視察に来たときと同じように、しばらくはホテルで暮らしましょう。

ホテルを拠点にして部屋を探すメリットは、昼だけでなく夜の様子もわかることです。昼間は閑静な通りだったのが陽が落ちた途端に屋台や露店で騒々しくなることもあります。昼と夜で性格が大きく変わるのはタイの街の特徴でもあり風物詩だったりします。

昼間は閉まっていて、なんの店かと思ったらナイトクラブだったりカラオケ屋だったりすることもあります。後者の店では音楽が大音量で流されるのが常。そんな店がアパートの隣にあったら眠ることなどできません。

騒音規制のほとんどない国ですから、レストランなどでも盛大に音を垂れ流します。生バンドが入っているような店が近くにあったら、早い時間に眠るのは最初から無理とあきらめましょう。

表だけではなく、できれば借りる前に裏の事情も知っておきたいもの。そのためにも、とにかく一度住んでみるのは、よい考え方です。

積極的に街を歩いて、住みたい街と物件を探していこう（バンコク）

下町の路地の奥に行けば行くほど家賃は下がる。治安の心配も、もちろん出てくる

散策気分で街に出よう

「この街に住む」と決めたら、部屋を探しに出かけましょう。

貸し物件を探すと同時に街全体を下調べします。散策気分で歩きながら、探してみることにしましょう。そうすることにより、雰囲気や環境もチェックすることができます。

不動産屋はタイにもありますが、最低でも一万五〇〇〇バーツ（六万円）／月以上の物件からしか紹介してくれません。一万バーツ（四万円）以下だと鼻で笑われるか、うさん臭い目で見られます。そのような価格帯の物件は自力で探すしかありません。

しかし、探し出すのはそれほど難しくはありません。まずはそれっぽい構え（アパートや集合住宅風）の建物を探します。首都バンコクなどでは大型の高層アパートが目立ちますが、地方では二階から三階建て程度のものしかないこともあります。

その建物の前に「空室あり」の看板が出されているかを確認します。空き部屋があれば、ほぼ間違いなく出されています。出されていなくても空きがあったりするので、気に入った物件があれば中に入って守衛や管理人にたずねましょう。

この逆に「空室あり」と書かれているにもかかわらず満室であることがなきにしもあらずですが、その程度で腹を立てていたらこの国で長く

มีห้องว่างให้เช่า

空室貸します

มีห้องว่าง

空室あり

ให้เช่า

貸します

いずれも部屋または物件を貸し出している。
気になったら中に入って確認しよう

ただ「貸します」とだけ書かれている案内。建物ごと貸している場合が多い

英語で案内があるアパートは外国人の入居者も想定している

「部屋貸します」の表示

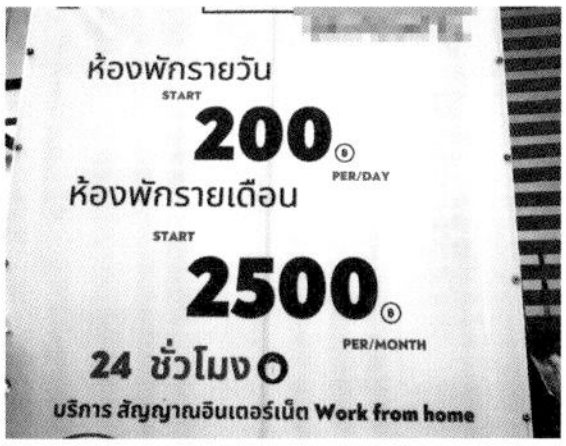

物価の高いバンコク都内でも、探せば安い物件が見つかる（バンコク）

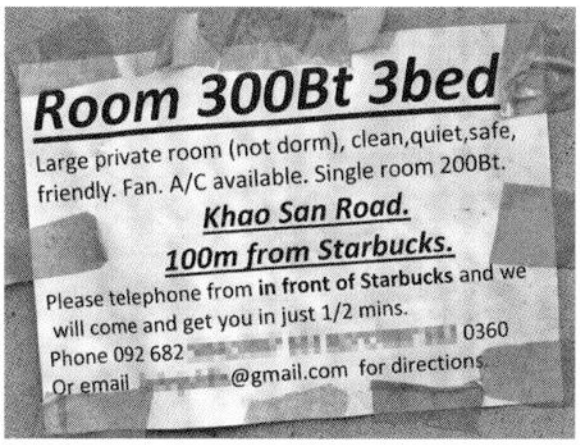

外国人に積極的にアピールしている空室案内（バンコク）

「部屋貸します」の表示。外国人はほぼ想定されていない

外国人に積極的にアピールしている空室案内。館内施設から見ても家賃は高め（バンコク）

日本人入居者がすでにいると思われる物件（バンコク）

エアコン付きで2700バーツ/月から始まる物件案内。エアコンなしなら1500バーツ/月から（バンコク）

外国人にも利用してもらいたいアパートの空室案内（バンコク）

部屋代が11000バーツから始まっている物件（バンコク）

は暮らせません。

空室確認は英語になるでしょうが、これはカタコトで通じればいいほうだと考えておきます。相手が英語をまったく話せなくても家賃くらいはわかるでしょうが、言葉がまったく通じないと、後で問題が起こったときにどこまで理解してもらえるかわかりません。

長期滞在に使う部屋は、そうした事態になることも想定して探します。

大学の周辺で探す

タイの全国を通じての話ですが、格安で住みごこちのいい物件は大学の周辺にあるようです。日本もそうですが、学生街には彼ら向けの物件が多くあるからです。学生限定の物件もありますが、教員や職員のための物件もあります。英語も通じやすくなるかもしれません。

また、このようなエリアには女性専用の物件も目立ちます。環境面や治安が心配であれば、こうした物件を軸として探してください。

在タイ日本国大使館に居住登録する

住居を決めたら在タイ日本国大使館へ居住登録を出しておきます。

これは大使館領事部の窓口でも大使館のホームページからでも登録できます。メールアドレスや携帯電話番号を登録することにより緊急情報などが入ります。通常はタイ国内に三ヶ月以上滞在する日本人が対象です。

登録をすませたら同様に在タイ日本大使館が行っているメールサービスにも登録しましょう。在住者へ有効な情報や危険情報などが不定期ですが配信されてきます。役に立つ情報が多いので登録は忘れずに。

女性専用のアパート。探せばけっこうあちこちにある（バンコク）

在タイ王国日本国大使館。領事部もこの中にある（バンコク）

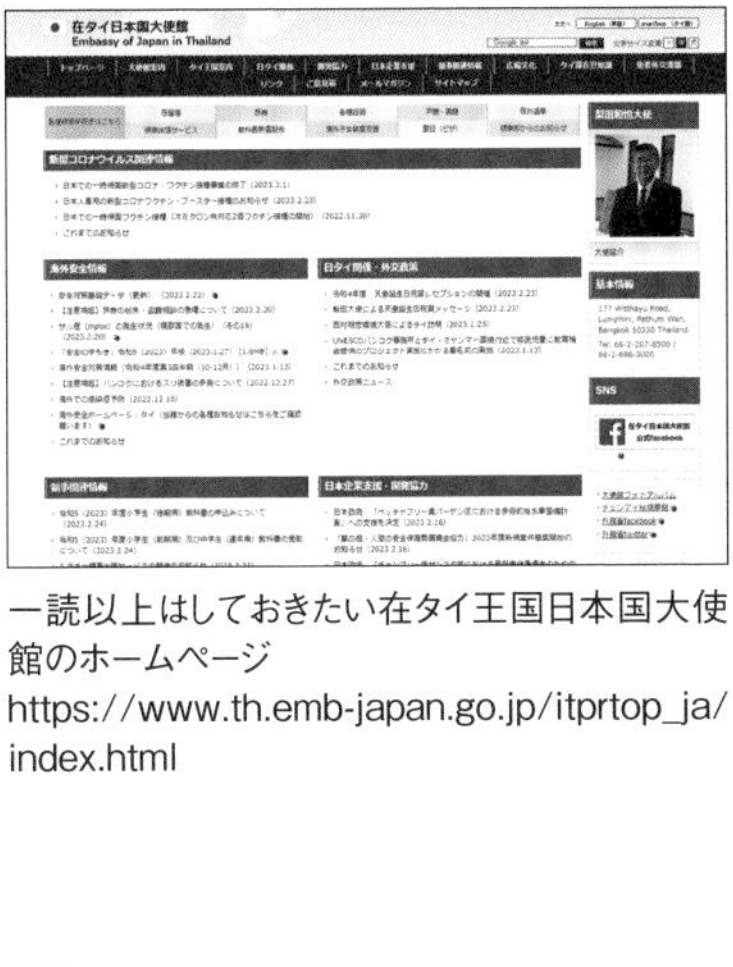

一読以上はしておきたい在タイ王国日本国大使館のホームページ
https://www.th.emb-japan.go.jp/itprtop_ja/index.html

日本の大使館は首都バンコクにしかありませんが、北部チェンマイには領事館があります。また領事関連事務の出張サービスもあり、パタヤーにも近いタイ東部のシーラチャー、東北地方（イサーン）のコーンケーン、南部のプーケットで不定期に行われます。開催の日程や場所は日本大使館のメールサービスで知らせてくれるので、やはり居住登録は必須です。

タイ国日本大使館領事部　在留届
https://www.th.emb-japan.go.jp/itpr_ja/consular_zairyuto.html

住み心地を確認する

本格的に滞在が始まって数ヶ月が過ぎたら、その部屋と周辺の住み心地を確認します。電気代が月三〇〇〇バーツ（一万二〇〇〇円）を超えていたら、電気を無駄に使っていないか調べましょう。

エアコンを多用した記憶がないにもかかわらず大量に電気が使用されていたなら、エアコンそのものに問題があるかもしれません。古くてコンプレッサーの動きが悪かったり、冷媒ガスが抜けていて冷えにくかったりしているかもしれません。エアコンの清掃や冷媒ガスの補充は大家の仕事です。問題がありそうな場合はアパートの大家に言ってチェックしてもらいましょう。

TIPS　3か月未満の短期渡航者には外務省海外旅行登録(「たびレジ」)の登録が推奨される。
https://www.ezairyu.mofa.go.jp/tabireg/index.html

冷蔵庫が備わっている場合は、それも調べてもらいます。エアコンと同じ理由で電気ばかり喰っているかもしれません。

ほかに消費するようなものは、部屋にはないはずです。ただし、物件が古い場合は漏電の疑いもあります。同じ広さの他の部屋の電気代はどうなっているか、そのあたりも調べてみましょう。他の部屋は安いのに自分の部屋だけが突出して高かったら、なんらかの問題があると考えてください。

広い部屋に住むのは快適ですが、部屋数が増えるだけ電気の消費量も増えます。リビングとベッドルームにエアコンがあれば、それだけ電気代がかさみます。使える予算がどれだけかを念頭に置いて、出費のバランスを取りましょう。

水道代が妙に高い場合は、高い確率で漏水しています。水回りを調べて、漏れている箇所がないか調べてください。漏水は、部屋代の高い安いや高級低級に関係なく、タイの住居で暮らしていれば、必ず体験します。タイの建物の建て付けはその程度のものと思っておいたほうが安心して暮らすことができます。

あとは、治安の確認です。部屋やアパートの周辺に不審者がうろついていないか、洗濯物が不自然に消えていないかを確認しま

電力量計は各部屋に取り付けられている。異常に使用されていないかのチェックは必要

アパートの入口や周辺に必ず設置されている飲料水の販売機。1リットルで1バーツ

しょう。

不審な点があればまず用心し、怪しさを確認したら大家に告げるかアパートを替えます。そのあたりがしっかり確認できないうちは仮の宿だと思うのも大切なことかもしれません。

バンコクで暮らす選択

眺めのいい高層マンションで暮らしたいなら、それがある街にまず行かねばなりません。ゴージャスな部屋で一日中すごしたいなら、そういう物件がある街をまず選ぶ必要があります。このような宿泊施設の選択肢がいろいろとあるのは首都バンコクを含む一部の都市くらいで、繁華街から少し離れたら選択肢などほとんどありません。あれやこれやの中から気に入った物件を選びたいなら、バンコクから離れることはできません。

ただし、一国の首都だけあって人口は多く、道路は年中渋滞で、大気汚染もひどいものです。物価も高く、住居に支払うお金もまた高くなります。

首都バンコクで暮らすのは「便利さを買う」ことでもあります。買うからにはお金が必要です。そのために出費がかさむのは当然と考えておきましょう。

途切れることのない車の列。こうした光景にも慣れなくてはいけない（バンコク）

バンコク中心部の物価は高く、駅まで近くなるほど賃貸物件の家賃も上がる

高濃度のPM 2.5で黄色く汚染されたバンコクの街並み。健康に不安がある方にはお薦めできない街

高架鉄道や地下鉄があるのは便利だ。現時点ではバンコク以外にない

拡大する都市鉄道網。郊外に出ればまだ家賃は安い（バンコク）

バンコクの郊外で暮らす選択

タイの街は、どこに行っても一極集中です。中心部の繁華街にすべてが集まっている一方で、そこから離れるとなにもなくなってしまいます。

首都バンコクもそうで、郊外に出たとたんに地方と呼んでかまわない雰囲気になります。どこから郊外になるのかを明確に説明するのは難しいですが、繁華街中心部から外に向かって都バスに乗り込めば、一時間程度で英語のほとんど通じないエリアに出ることができます。そのあたりから郊外だと思ってください。

バスで一時間だったら相当の距離だと思われるかもしれませんが、都心は極度に渋滞しているので、一時間程度ではたいして遠くには出ていません。時間帯にもよりますが、それで一〇キロも走っていないことが普通にあります。

そんな不便さがあるので、人々はできるだけ街の中心部に集まろうとします。そして結果的に、一極集中がさらに進んでしまうのです。

街の中心部までそれほど頻繁に出ないのなら、バンコクの中心部から都バスで一時間以上かかるエリアに出てしまうのも一考です。そうすることにより、首都あるいはその近郊の県に暮らしながらも田舎生活を満喫できるでしょう。

地方で暮らす選択

バンコク郊外も含めて地方の都市で暮らすのは、生活コストを下げるための最も優れた選択です。それによって、バンコクでの生活に比べて一・五倍から二倍ほど資産を有効に使うことができるようになります。

最も大きいのは家賃です。バンコクで八〇〇〇バーツ（三万二〇〇〇円）の物件は、地方では六〇〇〇バーツ（二万四〇〇〇円）ほどで借りられます。六〇〇〇バーツ程度の物件は四〇〇〇バーツ（一万六〇〇〇円）あたりになるでしょう。バンコクで暮らすより、ひと月あたり二〇〇〇バー

首都バンコクでも繁華街から離れれば、一転してのどかな風景となる

路地の奥にある物件は比較的安いが、自分の足を使って探すしかない（バンコク）

バンコク郊外でも地方都市でも、コンビニが近くにあれば不便はない

ツ（八〇〇〇円）くらいは浮かせられる計算になります。そうやって浮いたお金は、すべてお小遣いとして手元に残ります。

たとえ地方とはいえ、どの県も県庁所在地はそれなりに発展しており、さしたる不便もなく、僻地の雰囲気もありません。コンビニは街の中にいくつもあるし、郊外には大型のショッピングセンターが出店しています。空気もバンコクよりはきれいになるので、朝夕は屋外での運動もできます。アパートの家賃も高騰していないので、バンコクで暮らすよりはフトコロ具合も豊かになるでしょう。田舎に行けば行くほど娯楽に乏しく、お金と時間の使いみちが少なくなるという問題はありますが、足りなくなるより喜ばしいはずです。

地方暮らしは逃避ではありません。より豊かな生活環境を求めての選択です。ひるむことなく、いやむしろ積極的にそうするすべきかもしれません。迷ってしまったら、そもそもバンコクで、一国の首都で暮らす必要性があるのかどうか、それを自問自答してみましょう。考えれば考えるほど、特に必要はないと思えてくるのではないでしょうか。

ただし、あまりにも僻地に住んでしまうと、いざというときに面倒が起こりかねません。それを踏まえて、地方都市でも空港のある街から優先的に探してみるのはどうでしょうか。空港があればバンコクに出やすく、緊急帰国する際も時間がかからずにすみます。そのあたりも考慮して、生活を始める場所を定めてください。

TIPS プーケットとサムイ島には国際空港がある。日本からの直行便はないがスワンナプームまたはドン・ムアン経由の乗り継ぎができる。パタヤーの南にあるウタパオ国際空港は、直行便がない日本人にはあまり利用価値がない。

観光客が多く集まるビーチサイドは静かに暮らせる環境にない（プーケット）

海のある街に行っても海の前に住む必要はない（プーケット）

騒々しいリゾート地でもビーチから離れれば静かで住みやすい環境が得られる（プーケット）

マリンスポーツは思っている以上にお金のかかる娯楽だ（プーケット）

海のある街で暮らす選択

逆に首都バンコクを離れても地方と呼べないのは東部のパタヤー（チョンブリー県）やプーケットのような観光客向けのリゾート地で、そこでの物価はバンコクを上回っています。ただし、パタヤーもプーケットも、海がすべてではありません。パタヤーは東に、プーケットは島の真ん中に山があり、そのあたりは開発も進んでいません。

街もないので外国人が暮らすのは難しいでしょうが、プーケットなら行政の中心があるプーケット・タウンがおすすめです。ビーチまではバスやバイクでかんたんに行けるし、物価も他の地方都市程度なので、悪くはありません。海が近いからといって窓からビーチが見渡せる物件に住まねばならない理由など、まったくありません。

プーケットの反対側、タイ南部東側のタイ湾に浮かぶサムイ島（スラー・ターニー県）はプーケットと双頭を成すリゾート・アイランドとして知られていますが、開発された歴史が浅いので、アパートなどの宿泊施設が足りません。また、島という立地の関係で物流に問題があり、物価も高めです。

気楽に暮らせるイメージがありますが、サムイ島に限らず南海の小島での生活は、節約派には厳しいでしょう。

TIPS ナーン、メー・ホーン・ソーン、ランパーン、プレー、パヤオには国内線空港がある。サムイ島には国際空港はあるが、同県内には内陸側のスラー・ターニーにも空港はある。

物件があるのなら街から遠く離れた地で暮らしてみるのもいい（チェンマイ）

静かで平和的な環境は不便さと引き替えになる（チェンラーイ）

タイ南部の山間部には独特の景観がある（スラー・ターニー）

どこまでも広がる水田が郷愁を誘う（チェンマイ）

山のある街で暮らす選択

山のある街として日本人の間でもよく知られているのはタイの北部です。チェンマイは、その中でも最も知られた街でしょう。こうした自然環境を求めているなら、チェンマイにこだわらず北部一帯の広い範囲で住むべき街、借りるべき物件を探してください。

チェンマイの東のナーン県、西のメー・ホーン・ソーン県、南のランプーン県やランパーン県も静かで落ち着いています。もう少し南に下りてパヤオ県やプレー県で暮らすのもおすすめです。北部はどこも川や湖を中心とした街作りとなっており、豊かな自然を身近にできることでしょう。

しかし、この一帯には問題があります。近年の北部一帯は野焼きの煙や大規模なインフラ工事が原因による大気汚染が深刻化しているのです。

この一帯は、いまや大気汚染度指数（ＡＱＩ）が世界最高、すなわち「世界一空気の汚い場所」の常連でもあり、役所が市民の外出自粛を勧告する事態になっています。正直に言いますと、呼吸器に問題のある方や高齢者は近づかないほうがいいレベルのひどさです。

タイの北部は、一時は日本人のリタイヤ組生活者に一番人気のエリアでしたが、現在は真剣に待避も検討しなければならない状況です。雨が降って嵐にもなる雨季は汚染も軽減されますが、一年のうちの半分は危険な空気を吸わなければならない環境に積極的に飛び込んでいく必要があるのかどうかをまず考えてください。

山ならタイの南部にもあります。南部はビーチで知られていますが、緑深い山々に囲まれた街も

TIPS ウボン・ラーチャターニーとウドーン・ターニーには国内線空港がある。

たくさんあります。

たとえばプラチュアプ・キーリカン県は観光客に人気があるフア・ヒンのビーチで知られていますが、西に山があることはほとんど知られていません。裕福なタイ人や欧米人の間では、ビーチ側よりこの山側に人気があったりもします。街らしい街になっていないので格安のアパートなどは見つけにくいですが、観光客の多いエリアの逆側は意外に穴場ということも知っておきたいものです。

スラー・ターニー県も同様で、ここにはサムイ島がありますが、県土の大半は山です。国立公園もあり、緑を得る目的であえて陸地側に住居を求めるのもありうる判断です。

色濃い緑と静かな川の流れに落ち着く山の街
（カンチャナブリー）

最近は水上マーケット周辺の宅地開発も進んでいる
（ラーチャブリー）

メコン川沿いの街は外国人の間で以前から人気がある
（ノーンカーイ）

川のある街で暮らす選択

タイ国内を流れる川で最も雄大なのはメコン川です。この川はイサーン地方と呼ばれるタイの東北部を流れており、いくつかの街を作っています。

ノーンカーイ県、ブンカーン県、ナコーン・パノム県、ムクダハーン県、ウボン・ラーチャターニー県などが、それらの県に該当します。

ウボン・ラーチャターニー県は、ベトナム戦争時代に米軍の基地があった関係で街の規模も大きく、発展もしています。

米軍基地はノーンカーイ県の南のウドーン・ターニー県にもありました。このウドーン・ターニー県もまた経済的に発展しています。さらにその南にあるコーン・ケーン県は遷都の第一候補と考えられているほどの街で、中心部には大きな大学もあり、若さと活気にあふれています。

イサーン地方から離れるなら、西部のカンチャナブリー県にも有名な川があります。この県を流れるクウェー川は映画「戦場にかける橋」の舞台になった川で、モデルになった橋は観光名所になっています。ここには泰緬鉄道で大勢の死者を出した負の歴史がありますが、それさえ気にしなければ、豊かな自然と静かな環境を手に入れることができます。

第四章

月一〇万円での三度の食事

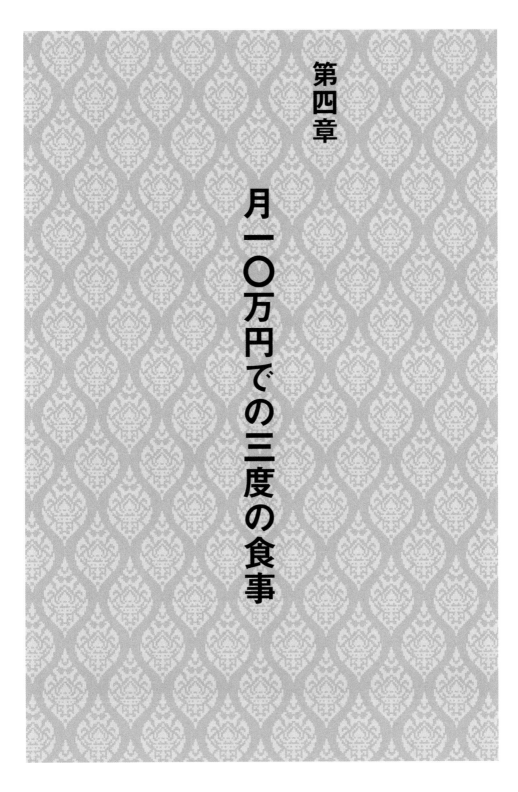

アパートでは調理できない

タイのアパートにはキッチンがないのはすでに説明したとおりです。ガスの使用が禁じられ、調理する場所もないのが一般的なタイの住宅環境です。流し台がそもそもなく、食器などが洗えるようにもなっていません。使用済みの食器やグラスはバスルームに付帯する洗面台で洗うしかありません。

こうした事情もあり、ほとんどのタイ人は自分たちでは料理しません。外食するか、外で買ってきたものを室内で食べます。周囲の目を気にせずリラックスして食事したいなら、屋台などで総菜を買い、彼らのように部屋に持ち帰って食べましょう。

朝も外食でというなら、お粥はどうでしょうか。タイで朝食というと必ず名前のあがる煮込み粥で、タイ語ではチョクと呼ばれています。朝食もしくは夜食として一般的に食されており、特に早朝に市場に行けばどこかで必ず売られています。米の形がなくなるほど煮込まれ消化も早く、刺激も少ないので日本人の間でも高い人気があります。

これとは違い、じっくりと煮込まない白粥はチョクとは言わずカオ・トムと呼ばれ、漬物などと合わせてさらさらと食されます。こちらも腹にはもたれません。

しかしながら、粥ばかりを探す必要はありません。「朝はコーヒーとパン」というタイ人も実は多く、地方によってはカイ・カタと呼ばれるタイ風ソーセージと目玉焼きによる朝食セットが好まれてもいます。

TIPS 露店の総菜屋ならおかず一袋(一品)20バーツから30バーツで購入できる。

だいたいにおいてタイ人は、朝食だからといって特別に違うものを食べません。「この時間はこれ」といったルールもなく、朝も昼も夜も同じようなものを食べています。

タイでは朝でも夜でもメニューを気にすることなく、さらには時間さえも関係なく、胃の調子と体調に応じて好きなものを食べればそれでいいでしょう。

カイ・カタと呼ばれる朝食。これにコッペパンとコーヒーが付く（ブンカーン）

タイの古式コーヒーはコンデンスミルクがたっぷり（ブンカーン）

チョクは米をドロドロになるまで煮込んだ粥。生卵を入れて食べる

持ち帰り用に売られているカオ・トム（煮込み粥）

あっさりめに仕上げられたカオ・トム。香草が効いている

朝食くらいなら誰でもできる

自炊はできませんが、これは火を使う調理に限られたことで、使わなければ問題はありません。たとえば生魚を丸のまま買い、室内でさばいて刺身にするのは許されます。鮮度がいまひとつなので機会はほとんどないでしょうが、できないことはありません。

そこまで大がかりにならなくても、朝食くらいならかんたんです。ハムや食パンはコンビニで買えますし、目玉焼きのひとつやふたつは小さな電気式ホットプレートがあればすぐにできます。トースターやホットサンドメーカーも手ごろな価格で手に入ります。

ガスの使用が禁止されているアパートやコンドミニアムでも、こうした電気式の調理器具なら使えます。ＩＨ調理器（電磁調理器）、電子レンジ、電気鍋、オーブントースター、電気ポットなどは室内で使用してもかまいません。

問題はブレーカーの容量で、大きな電力を消費する調理器具の同時使用では落ちてしまうことが頻繁にあります。消費電力の多い電化製品の使用が想定されていなかった古い物件で目立ちますが、新築物件でもよくあります。エアコンを切ればなんとかなる場合でもコンセント単位で容量オーバーしている場合は使えません。

この手の電化製品を新規に購入する場合は、部屋で使える電力の合計を調べてからにしましょう。便利だからと多用した場合は月末の電気代に目をむく可能性もありますので、その点は注意したいところです。

和朝食に挑戦

朝食に和食というなら納豆が手に入ります。最近はタイの会社が納豆を作っていて、日本からの輸入品より安く入手することができます。食感や風味は劣りますが、口に入らないことはありません。

味噌は日本メーカーの出汁入り味噌が売られていて、お湯に溶かせばそれらしいものができあがります。こんなものでいいのなら、手間も出費もさほどかかりません。出汁入り味噌や醬油を買うのに日本食材専門店まで行く必要もありません。タイ人の間でも日本料理が浸透しているからでしょうか、これらはタイのスーパーマーケットでも普通に売られています。刺身醬油やウスターソースも難なく買える時代になったのは、日本人と

その場で焼きたてのトーストが楽しめる（バンコク）

タイではトーストも炭で焼く（バンコク）

あると重宝する電気鍋。サイズも価格も様々

マルコメのだし入り味噌も輸入されている。隣はメイド・イン・タイランドの味噌（バンコク）

スーパーで売られているメイド・イン・タイランドの納豆。隣は日本のおかめ納豆（バンコク）

して感謝するしかありません。

そのほかでは韓国の味付け海苔、中国の梅干し、タイの漬物やふりかけが手に入ります。日本のものと味が違うこともありますが、商品によってはまったく問題ありません。実際、タイの日本料理店でもこれらの商品がなにげなく使われています。少量ずつ買って味見をし、毎日食べ比べてみるのも楽しいものです。

ご飯は日本米で

いくらそれらしい日本風のおかずが並んでいても、ご飯がタイ米では食欲が出ないという方もおられます。水分が多く、香りのほとんどない日本米に慣れた舌にジャスミン風の独特の香りがするタイ米が口に合わないのは当然かもしれません。そんな方は、部屋で日本米を炊いてみてはいかがでしょうか。

自炊はしないタイ人でも炊飯器だけは持っていることが多く、家庭（各部屋）での所持率は高めです。米食が中心のタイ人は米を大量に食べるため、自前の炊飯器で炊いたほうが安上がりになるのです。

日本米も、やはりスーパーマーケットで売られています。タイで生産されたメイド・イン・タイランドの米ですが、タイ国内の日本料理店で問題なく使用されているクオリティがあります。かつ

TIPS しっかり衛生管理されたタイ産卵も探せば手に入る。ただそれは生食するために生産されたものではない。

ては値段も高めでしたが、昨今の日本料理ブームで生産農家も多くなり、手頃な価格まで下がりました。「日本の米さえあればなんとかなる」という方は、まず最初に炊飯器を買うことにしましょう。

わざわざ炊くのは面倒だし、タイ米でも別にかまわないというなら、おかずや総菜と一緒に炊きあがった米を買ってきます。タイの下町には米だけを炊いて売っている店があるくらいで、困ることはありません。

ただし注意したいのは、タイ人は炊きたてのご飯を重宝がらないことです。極端な猫舌がほとんどのタイ人は熱々のご飯を喜びません。むしろ冷めたご飯を尊びます。

こうした身体的事情があるので、市場などで売られているご飯はだいたい冷めています。冷めたタイ米は水分が抜けて、炊きたてのものよりパラパラになっていますが、特有の香りが抜けて食べやすくなります。また、タイ料理に多い汁物やカレー系の総菜と合わせると適度に水分を吸い込ん

日本料理店で出される日本米。タイで生産されている（バンコク）

スーパーマーケットで販売されている日本米（バンコク）

寿司用の寿司米も販売されている。それだけ寿司が普及している（バンコク）

保温機能もある炊飯器。炊くだけの安いものもある

で、口にするときにはちょうどいい具合になりもします。

日本米ほどの糖分もなく、もっちりもしていないので胃にもたれることもありません。タイ米が苦手な方も、胃腸の休日がてら口にしてみてはどうでしょうか。

タイでも一般化したサーモンの刺身

炊きたての日本米が目の前にあるなら、日本料理も食べたいもの。そう思ったら食べ時です。しかし、第一章で検証したように、日本料理はタイでは高価な料理です。月一〇万円の壁を思ってしまえば、食べたいと思ったところで気軽には日本料理店の暖簾をくぐれません。だったら、これも部屋で食べましょう。朝食と同じように、たとえ調理はできなくても口にできる日本料理は多々あります。

ここでもスーパーマーケットに行ってみましょう。鮮魚売り場に行けばサーモンの刺身が売られているはずです。いまやサーモンの刺身はタイ人が最も好む料理となっていて、どこのスーパーマーケットに行っても切り身がパックで売られています。冷凍の効く商品なので、海から遠く離れた内陸部に行っても見つかります。大きめのスーパーマーケットでサーモンの刺身を置いていないところは、まずありません。

刺身に限らず半身も尾頭付きも売られています。キッチンがあれば焼き魚にして……とため息

TIPS タイ人の間では寿司も人気。露店や屋台であたりまえのように売られている。

をつくところですが、自分で焼かなくても焼いたものが売られているので平気です。

サーモンも好きですが、タイ人はサバも大好きです。うれしいことにサーモンは塩、サバは醤油で焼かれているので、買って帰れば焼き魚定食のできあがり。炊きたての日本米と合わせても隙はありません。

スーパーマーケットの保冷棚に並ぶサーモンの生切り身（バンコク）

サバは煮ても焼いても締めても好まれる（バンコク）

サーモンの刺身はタイの日本料理店の定番（バンコク）

握りセットの品揃え。まるで日本のスーパーマーケットのようだ（バンコク）

タイで寿司屋は珍しくない。ここは1カン10バーツから（バンコク）

普及する日本料理

日本料理は食材や調味料から高く、それを使って料理するとさらに高いものになります。それでもタイ人によるタイ人のためのローカル食材を使った日本料理の増加は、日本文化の浸透も含めてうれしいかぎりです。

日本を知るタイ人が増えたことにより、高級料亭の味から庶民のスナックに至るまで、様々な味覚が普及しました。それによってたこ焼きまでがタイ人の間で一般化したのには驚きです。

また、タイでは韓国料理、特にキムチがあたりまえのようにスーパーマーケットの棚に並んでいます。キムチは日本料理と思い込んでいるタイ人がかなり大勢いるほどで、タイ人経営の日本料理店で出される定食に付いている漬物は高い確率でキムチです。こうしたこともあり、キムチだけは本場の味がどこでも手軽に入手可能です。

韓国料理といえば、プルコギから発展したと思われる韓国風焼肉も、タイの家族料理の定番になりました。「仲間がそろったら韓国風焼肉」という感じでもあり、いまではタイスキと呼ばれるタイ風の寄せ鍋と人気を二分しているほどです。

TIPS　キムチと韓国風焼肉以外の韓国料理はそれほど普及していない。

タイでラーメンといえば「ハチバン（8番ラーメン）」。チェーンで全国展開している

タイ人に人気のたこ焼き。市場などで気軽に買える（バンコク）

フードコートでよく見るスカイラック（旧すかいらーく）のカレーメニュー

「やよい軒」も全国展開中。サービス料を取らないのが自慢

タイで餃子といえば昔から揚げ餃子。ここでも酢醤油で食べる

韓国式焼肉はタイ人の間で一般化している

行きつけの食堂を見つける

タイ人のいるところ、必ず食堂があります。借りているアパートの近くにも安食堂はあるはずです。まずはそれを探しましょう。

料理を食べて気に入ったら積極的に利用してください。おいしいものを求めて遠くまで行くのも楽しいですが、なんの苦もなく満腹になれる場所は作っておくべきでしょう。体調が悪くて元気のないときや激しい雨の日などは、特に重宝します。

顔見知りになると、店のほうから今日のメニューを考えてくれたりします。バミーやカオ・パット以外の料理もどんどんすすめてくれるでしょう。そういう心配りのある店を見つけて親しくなるのも、タイでの生活を成功させる理由となります。

市場やショッピングセンターの近くに住むという選択

遠くまで食事や買い物に行くのが面倒であれば、市場やショッピングセンターの近くに住むという選択があります。これはズボラでも横着でもなく、非常に合理的な考え方による暮らし方です。

ショッピングセンターやショッピングモールは繁華街だけに建てられているわけではありません。大型のものは決まって郊外にあります。首都バンコクでも地方でも、中心から少し離れた環状道路沿いは、大型どころか超大型のショッピングセンターまたはショッピングモールだらけです。繁華街や街の中心部に住むのは避け、こうした郊外型の商業施設近くにアパートを借りれば、買い物や飲食の問題は即座に消えます。

タイのショッピングセンターやショッピングモールはエアコンが強烈に効いていて涼しく、避暑の場としても最適です。好きなものがいつでも食べられるフードセンター（大食堂）もあって食事にも困りません。

試しに行ってみてください。ランチで混雑する時間帯以外は、どこもタイ人のお年寄りの憩いの

眺めているだけでも楽しくなるタイの食堂

食材と味付けを指示すれば、だいたいのものは作ってもらえる

外国人向けに写真付きの英語メニューを貼り出してくれている食堂も増えた

郊外に出店加速中のロータス・スーパーマーケット

Big C スーパーマーケットも全国展開中

エアコンの効いた巨大なデパートは休憩にも最適（バンコク）

複合施設内には必ず用意されているフードセンター。写真メニューが豊富でわかりやすい

複数の屋台が集合した大型の食堂街も増えてきている

場になっています。週末以外はだいたいガラガラですので、コーヒー一杯で何時間粘っても、特に迷惑とはなりません。

そんなところにアパートがあるのでしょうか？

これが意外とあったりします。その手の商業施設で働くスタッフたちにも住む場所が必要です。彼らの給与は一万五〇〇〇バーツ（六万円）／月くらいでしょうか。そのあたりの所得層に合わせたアパートが近辺にあるはずです。

郊外であれば、首都バンコクであっても四〇〇〇バーツ（一万六〇〇〇円）／月以下でエアコン付きの物件が見つかります。都心まで遠い不便はありますが、そこに行く理由も必要もなければ最初から問題にはなりません。

TIPS 郊外型の複合施設は繁華街と店舗間を往復する乗合バスの便がよかったりもする。

第五章

月一〇万円での楽しい毎日

趣味に生きよう

「人はパンのみに生きるにあらず」

これはイエス・キリストの言葉ですが、タイでの暮らしにもあてはめることができます。

精神衛生のためにも趣味を持つことは大切です。これはタイに来てから始めてもいいし、日本での趣味をタイで満喫するのもいいでしょう。

これまでの各章で説明してきたように、月々の予算の四〇%はなにもしなくても出て行きます。残りの六〇%、約六万円でその他の出費をまかなうわけですが、暮らすのはタイ国内ですから、まったく問題ないどころか余裕の生活ができそうです。

ただし、この六〇%をいかに有効に使うかによって、タイでの暮らし方が変わってきます。

無駄づかいばかりしていたら、あっという間に底を尽きます。

倹約していても、日本と同じ食生活を続けていたら、やはり底を尽きます。

この六万円を余裕として考えるためには、タイ料理を中心にした食事をし、健康に留意した日々を過ごし、医者にもかからず病院にも行かない生活をするしかありません。

まずは健康、それを維持するための趣味は、タイ生活において非常に大切になります。

ただし、趣味の生活に入りたいなら、その分の出費も必要となります。たとえばタイ生活の目的がゴルフ三昧の日々であれば、その分の経費を乗せて考えなければなりません。

現実的な話をすると、月額五〇〇〇バーツ前後のアパートで生活しながら数十万円もするクラブ

ドライビングレンジは郊外にたくさんある。ゴルフの上達が目的なら近くに住むという選択もある（バンコク）

趣味がゴルフなら予算は別に計上しなければならない

バードウォッチングも人気を集めている。熱帯だけに鳥の種類も豊富だ

記念切手を展示している郵便局。収集が趣味なら局員と親しくなっておきたい

現代美術の鑑賞も趣味がいい。美術館めぐりも趣味のひとつだ
https://www.bacc.or.th/

ミズオオトカゲは水辺に行けば見つかる。攻撃性はない

セットをそろえている人は、タイ人や日本人に関係なく、ほぼいません。タイにおけるゴルフとは、自家用車が専用の駐車場に入っている一軒家やコンドミニアムに住んでいる人たちのための娯楽です。月一〇万円での生活者には、かなり厳しい趣味と言えるでしょう。

これから始めるのであれば、あまりお金のかからない趣味を持ちたいものです。骨董品や美術品は値がかさみますが、鑑賞するだけならいくらでもできます。集めるなら切手やコインなどが手軽でしょう。タイの国営郵便局は記念切手の発行に力を入れているので、集めてみるのも楽しいかもしれません。

もっと手軽なところでは、ガーデニングなども人気です。知られてはいませんが、タイはサボテンを代表とする多肉植物の宝庫です。育てる手間もかからないので、小さなテラスやベランダがあれば、わずかの出費で自分だけの庭を持つことが可能になります。

屋外であれば、散歩がてらにバードウォッチングしてみるのはどうでしょう。双眼鏡が手元にあれば、公園でのウォーキングがさらに楽しいものになります。足元ではミズオオトカゲが昼寝しているかもしれません。タイの公園は、ただ歩くだけでも飽きません。

日々の生活に張りが出る趣味は、タイでの暮らしには欠かせません。なにかひとつ、見つけ出しておきましょう。

TIPS 節約も度が過ぎれば墓穴となる。なにごとも適度さが大切。

バンコクにはコイン博物館もある
http://coinmuseum.treasury.go.th/

図書館はバンコクにも地方都市にもある。日本の書籍は見つけにくいが英書は並んでいる

普通の市場の端に花や植木市があったりもする。色鮮やかな植木市場は見ているだけでも楽しい

博物館は大小様々。地方都市に行っても必ずある。バンコクでは区の単位で博物館がある

タイはサボテン王国だ。専門書も複数刊行されている

家計簿を付けよう

月一〇万円でのタイ生活を始めたら、家計簿を付ける習慣を身に付けましょう。

収入は考えず、出費だけを記録していきます。おおげさに考える必要はありません。白紙のノートに「今日は〇〇に××バーツ使った」と順に書いていき、最後に合計するだけです。ただそれだけで、意味のない無駄づかいを防ぐことができます。

家賃を含むすべての出費を月末に合計し、二万五〇〇〇バーツ（一〇万円）を越えたか越えないかでその月の経済を評価します。越えたら赤字で財布を引き締め、なにに使ったからそうなったのかをさかのぼって調べます。越えなかったら翌月に繰り越して余裕とします。

これを繰り返すことにより、タイの金銭感覚が身に付いていきます。

使うときは使い、締めるときはしっかりと締める。これを楽しみとするのが月一〇万生活の醍醐味です。

また、この習慣によってタイ語も身に付いていきます。食べた料理の名前や、バスに乗って移動した際の目的地名を記しておけば、次の機会に役立ちます。

日記を付けるのが面倒な人でも、固有名詞や数字（金額）をメモるくらいはできるはずです。今日の天気を忘れずに記録するのもよい習慣です。

頭を使うことによって脳も活性化します。のんびりした空気の中でただ漫然と過ごすのではなく、むしろ冴えていくような毎日を目指しましょう。

TIPS 家計簿とタイ語勉強ノートを兼用で使うのもいいアイデアだ。

タイ語力を高めよう

家計簿の次はタイ語の勉強を習慣化しましょう。

タイにいれば、すべてのタイ人がタイ語の先生です。語学を学ぶに際して、これほどすばらしい環境はありません。

ごく初歩であれば、手持ちのガイドブックに掲載されているタイ語の練習ページを活用してください。海外旅行ガイドブックには、ほぼ確実に現地語会話のページがあります。まずはそこを、暗唱できるくらいまで熟読しましょう。

その程度で納得できなかったら指さし会話帳を用意して、出てくる単語を丸暗記します。難しい文法はあとから学んでもかまいません。まずは日常生活で必要な単語から覚えていきます。

単語はどれだけ覚えていても損はありません。タイに滞在している間は「一日一語」を目標に、しっかり覚えていきましょう。この向上心こそが、長く楽しいタイ生活を送るポイントとなります。

きっちりと基礎から学びたい方にはタイ語学校が出しているテキストブックをおすすめしますが、これはタイ国内のほうがいいものが手に入ります。日本語書籍を扱っているバンコクの書店に行けば、現地

タイ語がわからなくても意味はわかるが、できれば完全に理解したい

タイ語がわかれば掘り出し物も見つけやすい

のタイ語学校が使用している教科書（テキスト）が入手できます。自身の能力に応じたレベルのものを探してください。

独学に限界を感じたら、余暇を利用して本格的にタイ語学校に通う選択肢もあります。学びに年齢は関係ありません。語学学習をひとつの趣味と考えるなら、これは最上の選択とも言えます。

紀伊國屋書店バンコク店
6th Floor, CentralWorld, Rajdamri Road, Pathumwan, Bangkok 10330 Thailand

泰日経済技術振興協会付属語学学校　本部（スクンビット校）
5-7 Sukhumvit Soi 29, Klongtoey Nua, Vadhana, Bangkok 10110, Thailand
https://j.tpa.or.th/slc/

身のまわりを清潔に保つ

心の乱れは身だしなみに出ます。周囲のタイ人は、それに敏感に気づきます。生活の基本は衣食住です。「食」と「住」の問題が片付いたら、次は「衣」です。

一年を通してだいたい暑い国ですので、基本は薄着です。夏の日本を想定していればいいでしょ

TIPS タイ語を覚えれば覚えるほど出費を抑えることができる。

自分で洗うのが面倒なら洗濯屋に頼んでみる方法もある

コインランドリーは日本とほぼ変わらない。利用のしかたも同じ

う。重ね着を楽しむことはできませんが、年中身軽な服装で過ごすことができます。そのため衣類でかさばることはありませんが、常に清潔に保つ姿勢は持ち続けておきましょう。

「掃除も洗濯もする気力がなくなった」から「なにもかもどうでもよくなった」になるのは普通の流れです。そうなったときにはお金もすっかりなくなっているはずです。物事はそういうふうになっているのです。

洗濯は、少量であればバスルームで手洗いすることもできますが、正直それでは汚れも臭いも落ちてくれません。さらにそれを室内干しにでもしようものなら異様に臭くなってしまいます。タイでは衣類の臭いでその人の暮らしぶりがわかります。身近に臭くにおっている服を着ている人がいたら、周囲に友達がおらず、お金もない人だと思ってかまいません。

タイ人に好まれるのは清潔感です。少量の衣類を毎日手洗いして使い回すより、何日分かを用意して、まとめてコインランドリーで洗ったほうが清潔です。タイ人は、そのあたりをしっかりと見ています。

コインランドリーは、タイの下町にはどこにでもあります。最

TIPS　知人の身なりが急激にみすぼらしくなったら、その人は生活に行き詰まっていると思ってかまわない。

近はビジネスとして注目されている関係で、あちこちで見かけるようになりました。店はもちろん、顧客の多いところに出されます。つまり、コインランドリーがあるところには格安のアパートもまたあることになります。これをヒントに部屋を探してみる方法もあります。

気温に注意

月一〇万円の生活費で暮らせる大きな理由のひとつに「高い気温」があります。気温が高いゆえに薄着になり、結果として出費が低く抑えられるのです。

ベストなのは「ほどほどの気温」ですが、自然が相手ゆえになかなかうまくはいきません。タイの高い気温は、時によっては「高すぎる気温」になります。

人間は、高齢になればなるほど体温の調節がうまくできなくなります。高齢者が熱中症になりやすいのは、そのためです。

酷暑期になると、首都バンコクでも最高気温が四〇度を越えます。地方では四五度近くにまで達することもありますが、こうなると外出もままなりません。必要な食事を買い求めに行って倒れたりしたら目も当てられません。第三章で説明したように、こうした事態に備えてスーパーマーケットやショッピングセンターの近くに住まいを求めるのは間違った選択ではないのです。

部屋にエアコンがあるなら、ためらわずに使用しましょう。支払う電気代は増えますが、タイに

TIPS タイの最高気温は2023年4月にターク県内で観測された45.4度。首都バンコクの最高気温は1983年5月に観測された40.8度。

セブン・イレブンはデリバリー・サービスもある。手順は最初に覚えておきたい

公園はジョガーの憩いの場。ジョギングに適した公園はバンコクにも地方にもある

暑い日中は涼しいショッピングセンターで涼を取るのも正しい判断

どんなに立派な公園でも日中は人影がまったくない。健康のためにも日中は日陰を移動したい

は寒期もあり、その時期は扇風機すら不要となるので、一年を通せば相殺されます。

酷暑期に電気代が増えるのは、タイで暮らすなら当然と考えておかねばなりません。そこでつまらない意地を張ると、楽しい生活が台無しになってしまいます。

健康のための運動のはずが

最近のタイは大気汚染が深刻化しています。

第三章でも説明したように、場所（市町村）によっては暮らしているだけで重篤な呼吸障害が起こりうることがあります。

早朝の太極拳やジョギングを楽しむのも健康の秘訣です。そこまで頑張らなくても、普通に散歩するだけでも良好な体調を維持できます。

ただし……それは空気のきれいな街に限定されています。

残念ながらタイは、どこに行っても空気がきれいというわけではありません。発展国を目指して驀進するこの国では、きれいな空気のある街を探すほうが難しくなっています。

それでも朝夕は汗で体を光らせたジョガーが散見されます。日頃の運動不足を補っているのでしょうが、むしろ心肺機能を傷つけているような気がしてなりません。どうしてもそれをするしかないというなら通勤ラッシュが始まる午前七時前には運動を終えたいところ。夜間であれば午後九時過ぎくらいでしょうか。それで失われた睡眠時間は日中に補填する意識が求められます。

都会や繁華街で澄んだ大気を求めるのは、もう無理かもしれません。事態はそれくらい深刻です。しかし、田舎ではどうかというと……タイは日本とは比較にならないくらいの田舎と呼べる地域が多い国ではありますが、外国人が不自由なく暮らせる場所となると、選択先は限定されます。

健康を理由にタイでの長期生活を選択しているなら、都会や地方都市に関係なく、不便さを理解しつつ中心部から離れるしかありません。

チェンマイの並木道も、日中に歩いているのは外国人くらいだ

公園を利用するのは朝または夕方にしたい。日中は一般人も警備員も少ないので、なにかあったときの対応が遅れる

かつては健康意識の強い街だったチェンマイも、いまは不健康世界一の街に

たまには日本語を話してみる

たまには日本語を話してみるのも心の健康にはいい方法です。タイ人社会の間で息を詰めて暮らしていることに気づかず、なにかの拍子に日本語が話せて気が楽になることがあるのです。

タイという国での生活を選んだ理由に「日本から離れたい」「日本社会から遠ざかりたい」があるかもしれませんが、意地を張るのはよくありません。日本語を話したくなったら話しましょう。

かつては国際電話以外に日本在住の友人知人や家族と会話する方法はありませんでした。しかし、いまはSNSがあり、高品質なビデオ通話が安く手軽に利用できる時代になっています。

持っているスマホの画面を指で押せば、即座に日本とつながります。異国で孤独を感じる機会は、以前に比べれば本当に少なくなりました。

もしものときの対処方法

いくら気をつけていても、病気になるときはなります。そうしたときにどう対応するか、最初にしっかり決めておきましょう。

緊急事態の第一は自分自身の怪我や病気です。東南アジアの国々では、ちょっとした怪我でも注意しなければなりません。傷口から雑菌が入って化膿し、思わぬ事態になることもあります。消毒薬や化膿止めがどこで買えるか、アパートの周辺で探しましょう。

薬局は繁華街に行けば見つかりますが、ファーストエイドの医薬品などはセブン・イレブンなどのコンビニでも買えます。薬剤師が常駐している売り場を備えたコンビニもありますし、風邪薬や胃薬なら雑貨屋にも並んでいます。

その程度の治療で治らなければ病院に行きます。タイの病院は設備が整っているので、よほどの難病でないかぎりは対応してもらえるでしょう。

ただし、その治療費は青天井です。もしも保険に入っていなかったら財産が吹き飛ぶことも覚悟しておかねばなりません。

保険はタイ国内でも加入できますが、日本で加入している国民健康保険も使えます。ただし、それは日本国内で保険対象になっている医療行為に関してのみであり、それ以外は保険適用外となります。

また、給付は日本国内での申請後になるため、現地の病院窓口では治療者当人の全額支払いとなります。利用したその病院が日本の国民健康保険が使える病院でなければ申請そのものができませんので気をつけてください。そのあたりは自分自身が健康なうちにしっかりと調べ、いざという時にかかるべき病院を決めておきます。

困窮外国人が増えている昨今は現金を持ち合わせていない、あるいは支払い能力のあるクレジットカードを持っていない場合、診療を受け付けてもらえません。泣いても怒ってもまったくの無駄。このあたりの対応は、いかにも外国といった感じです。

お金の話で続けますと、タイでは救急車は無料ではありません。タイの全国どこにいても電話番号1669で救急車を呼ぶことができますが、有料です。金額はやってくる救急車（すべて民営）によって変わりますが、あとから一〇〇〇バーツ（四〇〇〇円）以上の経費を請求されます。

救急依頼の応答は、基本的にはタイ語になります。不安がある方は診察を希望する病院に電話し、そこから救急車を派遣してもらうほうが安心できるかもしれません。

厚生労働省　国民健康保険制度

https://www.mhlw.go.jp/stf/seisakunitsuite/bunya/kenkou_iryou/iryouhoken/koukikourei/index_00002.html

AIA Thailand

https://www.aia.co.th/th

日本語の通じる病院（バンコク）

バンコク病院

02-310-3000（代表）02-310-3257、02-755-1257（日本語専用）

TIPS 無理はしない。豪傑自慢は命取りだと思うこと。

私立の病院は公立病院より内容が充実していたりもするが、治療費は高くなる

医療施設は地方に行っても充実している（ペッチャブリー）

シリラート病院はバンコク最大の医療施設。タイの前国王もここで入院されていた

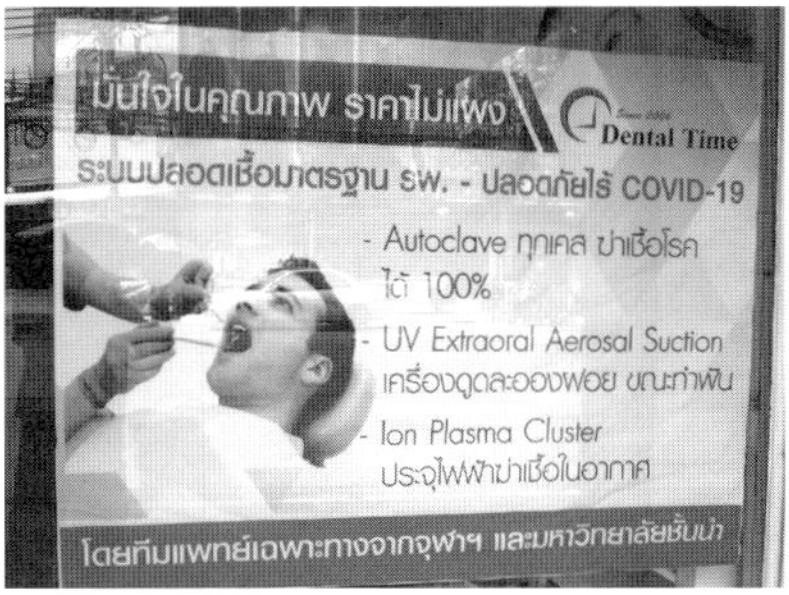

歯石の除去やクリーニングにかかる料金は日本と同じくらいかやや高い

歯科は中国語では牙科となる。覚えておくと役に立つ

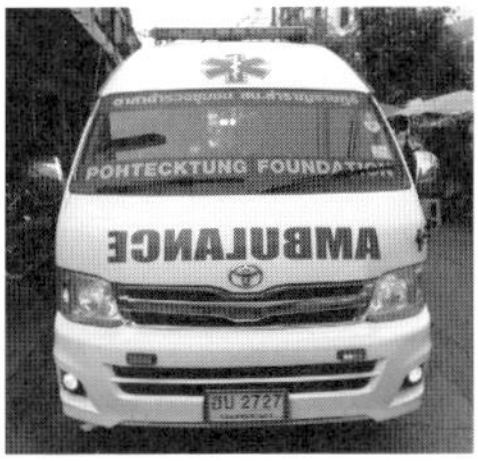

救急車は民営だ。これは仏教系ボランティア団体の救急車

台数が多いので、救急車は呼べばすぐにやってくる

民間の薬局。薬剤師が常駐しているので専門的な医薬品も購入できる

下町の雑貨屋。コンビニほどの品揃えはないが、だいたいのものは購入可能

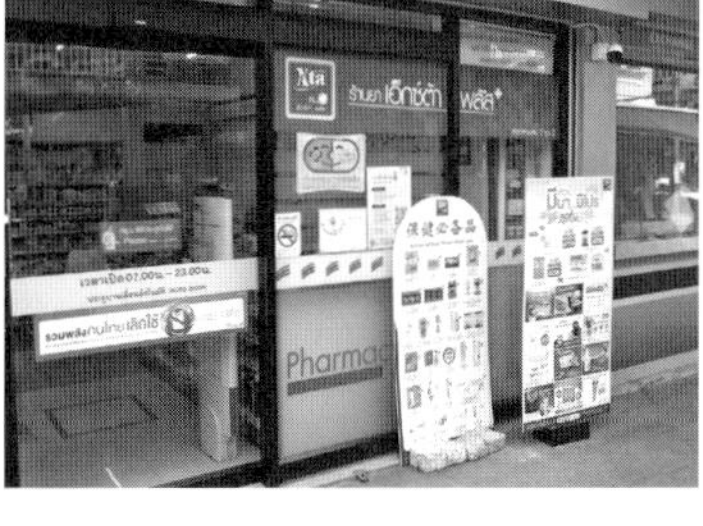

セブン・イレブンに併設されている薬局。ただし薬剤師が不在の時間帯もある

バムルンラート病院
02-667-1000（代表）　02-011-3388（日本語専用）
サミティヴェート病院
02-022-2222（代表）　02-022-2122〜4（日本語専用）
ラーマ9世病院
02-202-9999（代表）

事件や事故に遭った場合

続いては事件や事故です。これも、いつその災難に遭うかわかりません。そのときになってあわてないよう、こちらもしっかり準備しておきます。

タイも日本も同じで、事件や事故に遭った場合はまず警察に連絡します。こちらも応答の基本はタイ語ですが、タイには外国人の保護を任務とするツーリスト・ポリス（観光警察）という警察とは違った組織があり、そこでは英語での応対が基本となっています。担当の警官が少ないため通常の警察ほどの機動力はありませんが、話がまったく通じないよりはいいこともあります。

どうしても日本語でというなら在タイ日本国大使館領事部で保護を求める手段もあります。ただし、窓口が開いている時間以外での機敏な対応は期待できません。また、海外の在外公館には捜査権がないので、犯罪に対する行動は最初から求めてはいけません。民事への介入もできませんので、たとえ金銭にかかわる問題（金の貸し借りや投資詐欺など）が発生しても、こちらでは対応できません。

警察署の構えはタイ全国どこに行ってもほとんど変わらない

タイの警察組織には様々な部署と担当がある。部署が変わればパトカーも変わる

ツーリスト・ポリスの警察署もまた一般の警察とは違っている（チェンマイ）

ツーリスト・ポリス（観光警察）の紋章。一般的なタイ警察のものとは違っている

在タイ日本国大使館領事部
https://www.th.emb-japan.go.jp/itpr_ja/consular_index.html
02-207-8502、02-696-3002（邦人援護班）

緊急番号
バンコク首都圏警察部　191
ツーリスト・ポリス　1155（二四時間対応）
救急車　1669（191からの手配も可能）
消防車　199

第六章

月一〇万円で生活するためのビザ

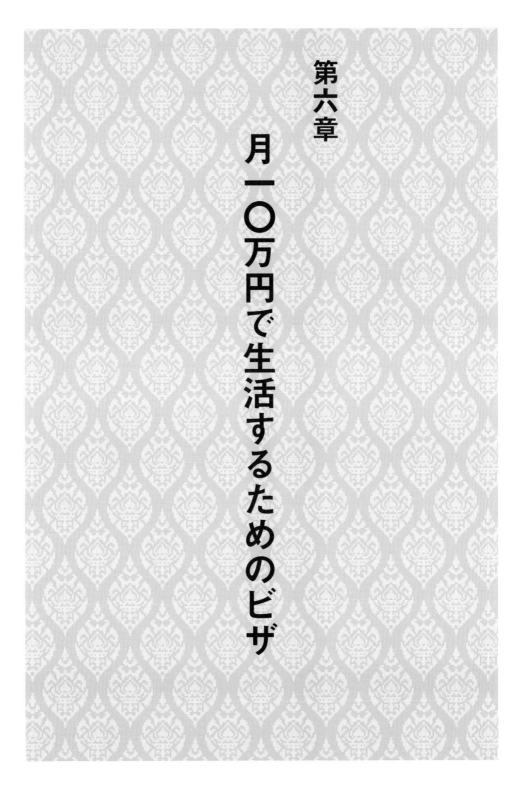

タイで暮らす目的を考える

月一〇万円でタイで生活するのは充分に可能であることがわかりました。しかし、これは滞在に必要な許可を得ているのが前提です。この章ではその許可＝ビザについて説明します。

まず、タイで暮らす目的はなにかを考えましょう。それによって取得するビザが変わってきます。終の棲家を求めての移住であれば、迷いなくリタイヤメント・ビザを取得します。このビザがあればタイ国内に三六五日間滞在することが可能になります。しかも、このビザはタイ国内で更新が可能で、書類さえそろっていればタイを出国することなく延長ができます。一度取得してしまえば、この更新を繰り返すことにより何年でも何十年でもタイに居続けることができるのです。

一年間もタイに居続ける予定がない方、たとえば日本の冬を避けるのが目的でタイでしばらく暮らすのであれば、あえて取得する必要はありません。取得してもかまいませんが、ツーリスト・ビザ（観光ビザ）でもその代わりができます。

ツーリスト・ビザは、一度の取得で六〇日間の滞在ができます。これをタイ国内のイミグレーション・オフィス（移民局）で延長することにより三〇日間が追加され、合計で九〇日間のタイ滞在が可能になります。

一年間の四分の一、ひとつの季節分をタイ国内で過ごせるわけで、避寒または避暑が目的であれば、これで充分かもしれません。

ツーリスト・ビザでの滞在

一回で九〇日間滞在できるわけですから、ツーリスト・ビザの取得―延長を二回行えば一八〇日間、一年の半分はタイで生活することができます。四回繰り返せば滞在可能日数が三六〇日間となり、リタイヤメント・ビザを取得するのとほぼ同じ結果が得られることになります。

ただし、リタイヤメント・ビザと違ってツーリスト・ビザはタイ国内で取得することができません。取得は日本を含めたタイ国外の大使館または領事館で行います。つまり滞在期限が切れるごとに出国して、どこかの国の窓口で新規にビザを申請しなければなりません。

この章のあとで説明しますが、これを「ビザ・ラン」と呼んでいます。

あえてリタイヤメント・ビザを取得しなくても、このビザ・ランを繰り返していれば、理屈としてはタイに長居できることになりますが、最近はうまくいきません。この方法でタイに居着いてしまう外国人が増えすぎてしまったため、タイ政府はビザ・ランの抑制策として、これを繰り返している外国人の名前をブラックリストに載せることにしました。

「旅行していないのにツーリスト・ビザが必要なのはおかしいだろう」

というわけです。「そういう人たちのためにリタイヤメント・ビザがあるのだから、それを取ってください」ということでもあるのでしょう。

ツーリスト・ビザは、表向きは何度でも取れることになっていますが、現実的には年に二回くらいまででしょうか。問題なく何度も取れている人もいますが、問答無用で拒否されている人もいます。

合否の基準はわかりませんが、そのように拒否されたところで文句は言えません。ツーリスト・ビザでの長期滞在は、それも覚悟の上での生活となります。

リタイヤメント・ビザの取得

タイでの長期生活は、基本的にはリタイヤメント・ビザを取得して始めることになります。まずは申請の資格を確認し、必用な書類を調べましょう。

申請は、日本国内のタイ大使館または領事館で行います。現在、ビザの申請を受け付けているのは次の三箇所で、申請の際はいずれも事前予約が必要です。

駐日タイ王国大使館
東京都品川区上大崎3-14-6
電話　03-5789-2433
https://site.thaiembassy.jp/jp/

タイ王国大阪総領事館

大阪市中央区久太郎町1丁目9番16号　バンコック銀行ビル四階
電話　06-6262-9226、06-6262-9227
http://www.thaiconsulate.jp/jpn/

在福岡タイ王国総領事館
福岡県福岡市中央区天神4丁目1番37号 第一明星ビル二階
電話　092-739-9088、092-739-9090（ビザ関係専用）
https://fukuoka.thaiembassy.org/jp/index

駐日タイ王国大使館のホームページ
https://site.thaiembassy.jp/jp/

タイ王国大阪総領事館のホームページ
http://www.thaiconsulate.jp/jpn/

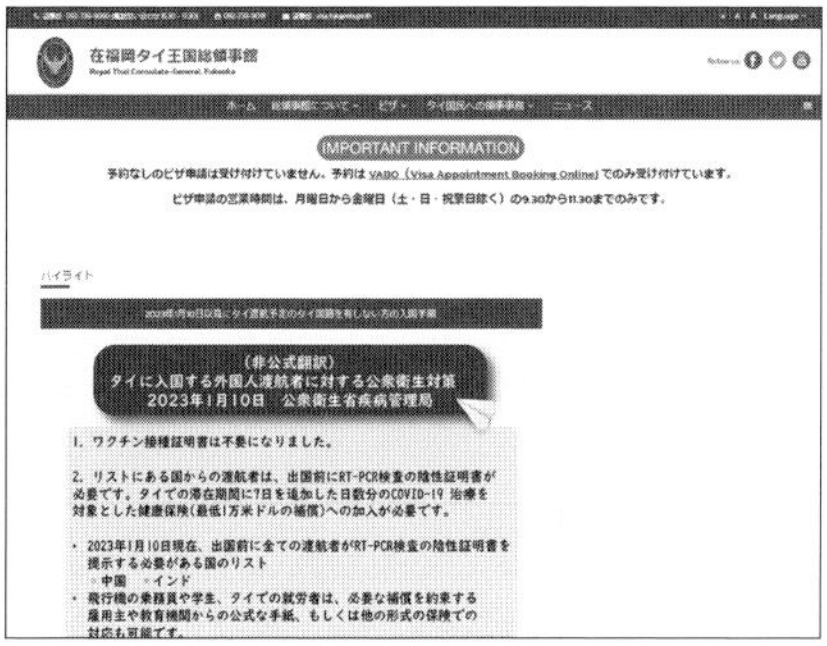

在福岡タイ王国総領事館のホームページ
https://fukuoka.thaiembassy.org/jp/index

申請は指定の書類をそろえ、居住地に近い窓口で行いますが、必用な書類または条件は窓口や申請者個人によって変わることもあります。何度も足を運んだり、担当者の手を不要にわずらわせたりしないよう、事前に入念に確認しておきましょう。

不安があれば、申請予約の前に担当者まで確認します。日本国内でのビザ申請審査はほかの国々より厳格なので、ミスや不備のないようしっかり念入りに確認しておくのが重要になります。

ビザ申請関係のページはこちら

駐日タイ王国大使館
https://site.thaiembassy.jp/jp/visa/prepare/

タイ王国大阪総領事館
http://www.thaiconsulate.jp/visa-top/

在福岡タイ王国総領事館
https://fukuoka.thaiembassy.org/jp/page/visa-2

イミグレーション・オフィスで情報収集

ツーリスト・ビザはタイ国内では取得できませんが、リタイヤメント・ビザなら取得できます。

申請は、申請者が暮らしている（住居登録している）県のイミグレーション・オフィスで行います。バンコクであればチェーン・ワッタナー通りの政府総合庁舎B棟にそのオフィスがあります。

地方在住者は、それぞれの県都にあるイミグレーション・オフィスで申請します。自身が暮らしている県（住所登録している県＝TM30登録されている県）以外ではできません。かなり不便な場

イミグレーション・オフィス（バンコク）が入っている政府総合庁舎B棟
https://www.immigration.go.th/

政府総合庁舎B棟の内部（バンコク）

イミグレーション・オフィス（バンコク）の入口

TIPS　TM30は家主が行う住所登録。アパートを借りたら家主が登録してくれる。この登録書類はリタイヤメント・ビザの申請・延長手続き時に必要となる。

所にあることも多いので、立地はしっかり確認しておきましょう。

タイ国内でリタイヤメント・ビザを取得する場合は、いきなり申請せず、まずは入口にあるインフォメーション窓口に行くことをおすすめします。そこで申請書を受け取り、申請時に必用な書類について説明を受けるのが、最も自然な流れです。

窓口には担当者がいて、質問には親切に答えてくれます。書き方の見本も掲示されていますので、その場で書いてしまうのもいいかもしれません。

ただし注意したいのは、窓口での説明がタイ語または英語であることです。このどちらも理解できない場合は通訳できる人間を間に立てるしかありません。

申請書類そのものはイミグレーションのＨＰからでもダウンロードできます。しかし、実際の申請時はそれ以外の書類（滞在要件確認書の類）の提出も求められ、しかもそれらはダウンロードできません。申請時の条件も微妙に素早く変わりますので、最新の情報を得るためにもインフォメーション窓口には行っておくべきでしょう。

Immigration Bureau
https://www.immigration.go.th/en/

申請時に金融資産のチェックがある

タイでリタイヤメント・ビザを取得する前に、日本でしておくべき仕事がひとつあります。リタイヤメント・ビザの申請には「五〇歳以上」という資格がありますが、これはパスポートを見ればその場でわかります。わからないのは申請できるだけの金融資産があるかないかで、これは日本で証明書類を作っておかねばなりません。

申請者が証明しなければならない金融資産は、次のとおりです。

Ａ　タイバーツに換算して六万五〇〇〇バーツ以上の収入が毎月ある
Ｂ　年間収入と銀行預金の合計がタイバーツに換算して八〇万バーツ以上ある
Ｃ　八〇万バーツ以上の銀行預金がタイ国内の申請者名義の銀行口座に三ヶ月以上ある

このＡＢＣのどれかに該当するだけの金融資産（要するにお金）がないとリタイヤメント・ビザの申請はできません。現時点ではこれが非常に高いハードルになっており、クリアできないためタイでの長期生活をあきらめている方が大勢いるのが実情です。

Ａに関しては、中堅の会社員であれば問題のない金額（日本円で月給二六万円）ですが、リタイヤしてからも安定してそれだけの月給を受け取れる方は少ないかもしれません。ただこの収入は年金一〇〇％でもよく、日本円にして月額二六万円以上の支給が保証されていれば認められます。

Aで証明できない場合はBとなります。ここでいう年間収入にも、年金が含まれていてかまいません。銀行口座の残高が少なく、総額が八〇万バーツ（三二〇万円）に達していなかったとしても、支給される年金の年間合計を加えてこの金額に達していれば認められます。例を挙げると、年金の月額が五万円だった場合でも、銀行口座に二六〇万円の残高があれば、このBが立証されます（五万円×一二ヶ月＋二六〇万円＝三二〇万円）。

AもBも立証できない場合はCを選択します。ただし、そのためにはタイ国内の銀行に、自分自身が名義人になっている口座を開いておかねばなりません。第二章でタイ国内の銀行口座の開設にチャレンジしたのは、このためです。AまたはBで金融資産の証明ができるなら、タイ国内の銀行口座はなくてもかまいません。リタイヤメント・ビザを取得していれば、口座は銀行の窓口で開けます。

このCを選択した場合の八〇万バーツですが、タイ国内で入金するのではなく、日本からの国際送金で納めます。申請者名義のタイの銀行口座に申請者名義の日本の銀行口座から、申請日の三ヶ月以上前に振り込んでください。申請者以外の名義、すなわち金融業者や他人名義からの振込では申請できません。

振込終了後、その英文の証明書（八〇万バーツ以上の外貨持込証明と両替証明）を、振り込み元である日本の銀行に作成してもらいます。

ABCともに、書類は日本で作成しておく必要があります。タイに行ってから作成することはできないので、どの役所や銀行でどんな書類が必要か日本国内のタイ大使館または領事館でしっかり

TIPS 提出書類はすべて英文でなければならない。日本語で書かれた書類は不可。

と確認し、確実に作成してください。

質疑は英語かタイ語のみ

必要書類がすべてそろったら、窓口に行って申請です。

ここで大事なことは「すべてそろえる」ことです。あたりまえですが、そろわなかったら申請できません。こんなことをくどく書かねばいけないくらい適当に考えている方が多いので、ここでしっかりと念を押しておきます。

初めての申請の際は、イミグレーションの上位担当者による審査があります。これは面接と呼んでいいもので、タイ語または英語でのやりとりとなります。

イミグレーションは外国人担当部門なので、担当者は全員英語が上手です。この審査には不良外国人を見つけ出す目的もあるので、質疑は厳しいものと考えておいてください。

英語が苦手な方は圧倒されてしまうかもしれません。そんな方は、ここでも通訳を立てることをおすすめします。リタイヤメント・ビザは申請時にも延長時にも本人の出頭が必要ですが、通訳（家族や友人やビザ取得代行業者）の同伴は認められています。担当者の質問を理解して、はっきりと受け答えする自信がないのなら、こうした人たちに間に入ってもらうしかありません。

TIPS　英会話能力は高い教育を受けた証拠でもある。能力の低さは逆の証明になるだけ。

タイでの取得はノン・イミグラント・ビザから

提出した書類に問題がなく、人間的にも背後的にも怪しいところがなければ申請は受理されます。ただし、いきなりリタイヤメント・ビザが与えられるわけではありません。まずは最初にノン・イミグラント・ビザ（非永住ビザ／Bビザ）が与えられます。リタイヤメント・ビザは、〝O‐A〟と呼ばれるこのノン・イミグラント・ビザのひとつのカテゴリーなのです。

このノン・イミグラント・ビザでは、ツーリスト・ビザより三〇日間長い九〇日間の滞在が認められます。

このビザを有効期限が切れる前に更新すると、そこでリタイヤメント・ビザに切り替えられ、三六五日間の滞在が可能になります。つまり、タイ国内で初めてリタイヤメント・ビザを取得すると、ノン・イミグラント・ビザの九〇日間に三六五日間が加わって、合計で四五五日間滞在できるわけです。

いつまた窓口に来て再申請（ノン・イミグラント・ビザからリタイヤメント・ビザへの切り替え）するかは初回の申請時に教えてもらえますので、確実にメモしておきましょう。

あとはこのビザを、有効期限が切れる三〇日以内に延長（再交付）することにより、あらたに三六五日間の滞在許可が出て、タイから出国することなく暮らし続けることができるようになります。

リタイヤメント・ビザを延長する

リタイヤメント・ビザの延長手続きは、タイで暮らす外国人にとって年に一度の重要な儀式です。提出書類は初回の申請と同様に、イミグレーション・オフィスの受付でもらえます。前回の申請時に提出した書類のコピーをとっておくと、書き損じによるミスなどが起こりにくくなります。手続きは前述のように、失効する三〇日前から可能ですが、注意点は初回の申請時と同様に、住所登録している県都のイミグレーション・オフィスで手続きしなければならないことです。居住地を変更した（異なる県に引っ越した）場合は、引っ越しをした時点で新しい住所がある県都のイミグレーション・オフィスに行き、転出した旨を報告して、担当の窓口を変更しなければなりません。日本で言えば住民票を変更するようなもので、面倒ですが忘れず確実に処理しておきましょう。

この延長手続きの際にも、申請者の経済力を証明するための金融資産チェックがあります。

・ビザ更新の申請日からさかのぼって二ヶ月の間、八〇万バーツ以上の預金残高がある
・ビザ更新手続き終了から三ヶ月間、八〇万バーツ以上預金をしている
・一年を通して四〇万バーツ以上の預金がある

以上の要件を満たしていないと申請は受理されません。そうなると手持ちのビザが失効する前に

タイから出国し、なんらかの手を打つ必要が出てきます。

現時点では、一年一二ヶ月のうち最低でも五ヶ月間は八〇万バーツ（三二〇万円）以上の預金残高を保持していなければなりません。また残りの七ヶ月間も四〇万バーツ（一六〇万円）以上の残高を維持しておく必要があります。つまり、リタイヤメント・ビザを維持していくためには絶対に動かせない四〇万バーツ（一六〇万円）が必要になるわけです。

この三点すべてをクリアしていないとビザの再取得＝延長はできません。年金額で証明する場合は、その英文の証明書を再び用意して提出します。

リタイヤメント・ビザの申請・延長に必要な金融資産の確認は年を追うごとに厳しくなっています。資格条件も微妙に変わることがありますので、申請・延長時は担当者の説明をよく聞き、次回の手続き時にあわてることがないよう、その場でしっかりと確かめてください。

リエントリー・パーミットを申請する

三六五日間滞在可能なビザを受け取ったからといってタイから出国できなくなるわけではありません。リタイヤメント・ビザを持っていても出入国は自由です。

ただし、出国してしまうとその時点で取得したビザは無効となり、滞在可能期間がどれだけ残っていても再使用できなくなります。

TIPS 80万バーツが保持されている銀行で預金維持証明書を作成してもらう必要があるため、複数の銀行口座の合算はできない。

そうならないために、出国の前にはリエントリー・パーミット（再入国許可証）を取得しておく必要があります。

リエントリー・パーミットには一回だけ出入国できる「シングル」と、何度でも出入り可能な「マルチプル」のふたつの種類があります。三六五日の間に何度も日本に帰る予定があるならマルチプルを、近日中に一度だけというならシングルを取得しておきましょう。

このシングルのリエントリー・パーミットは何度でも取得が可能ですが、三回以上出入国する予定があるなら、マルチプルを取得しておいたほうが得になります。

リエントリー・パーミットは、取得しているビザが有効な間はいつまでも利用できます。緊急帰国しなければならない場合も考え、ビザの申請・延長と同時に取得しておくと安心感が高まります。

九〇日ごとにレポートを提出する

タイに滞在する外国人は、入国から九〇日ごとにイミグレーションに在住証明を提出しなければなりません。これは一般に「九〇日レポート」と呼ばれています。

在タイ日本大使館への居住登録は任意ですが、九〇日レポートの提出はタイ国内に暮らす外国人の義務です。提出し忘れた場合は罰金の支払いが生じます。

レポートの提出そのものはかんたんで、指定の書類に必要事項を書き込み、近くのイミグレーショ

TIPS　現時点でのマルチプル・リエントリー・パーミットの取得代金は3800バーツ。シングルは1000バーツなので、出入国が3回までならシングルのほうが安くなる。

ン・オフィスに提出するだけ。処理経費も必要ありません。提出は入国から九〇日に達する二週間前から一週間後の三週間、受け付けてもらえます。

このレポートは窓口業務低減のため、ネット経由で提出する方法が奨励されています。ＰＣからでもスマートフォンからでも提出できるので便利ですが、受付の締め切り日が窓口より早いので、九〇日の二週間前になったらすぐに提出しておきましょう。

窓口では即日、ネットでは提出から数日後に受け付け終了の証明書が渡されます。出国時に確認されることがありますので、パスポートといっしょに管理しておいてください。

ネットでの九〇日レポートの提出

https://tm47.immigration.go.th/tm47/

オーバーステイに気をつける

ビザには滞在を許可された期間があります。ツーリスト・ビザは六〇日間＋三〇日間の延長で最大九〇日間、リタイヤメント・ビザなら三六五日間なのはすでに説明したとおりですが、これを忘れてしまう人がたまにいます。

うっかりして滞在期間を超えてしまうと「オーバーステイ」という状態になります。日本語では

TIPS 90日レポートは英語ではNotification of staying in the Kingdom over 90 days(TM47)

「不法滞在」となり、犯罪臭が一気に高まります。

タイ王国はこのオーバーステイを厳しく取り締まっており、罰則も強化されています。

二〇二三年現在の罰則は次のとおりです。

九〇日以上一年未満のオーバーステイ　一年間再入国禁止
一年以上三年未満のオーバーステイ　三年間再入国禁止
三年以上五年未満のオーバーステイ　五年間再入国禁止
五年以上のオーバーステイ　一〇年間再入国禁止

รายงานตัว 90 วัน รับบัตรคิวที่ช่อง1
90 Days Notification
Please get queue ticket
at counter No.1
90日レポートの提出窓口もイミグレーション・オフィス内にある

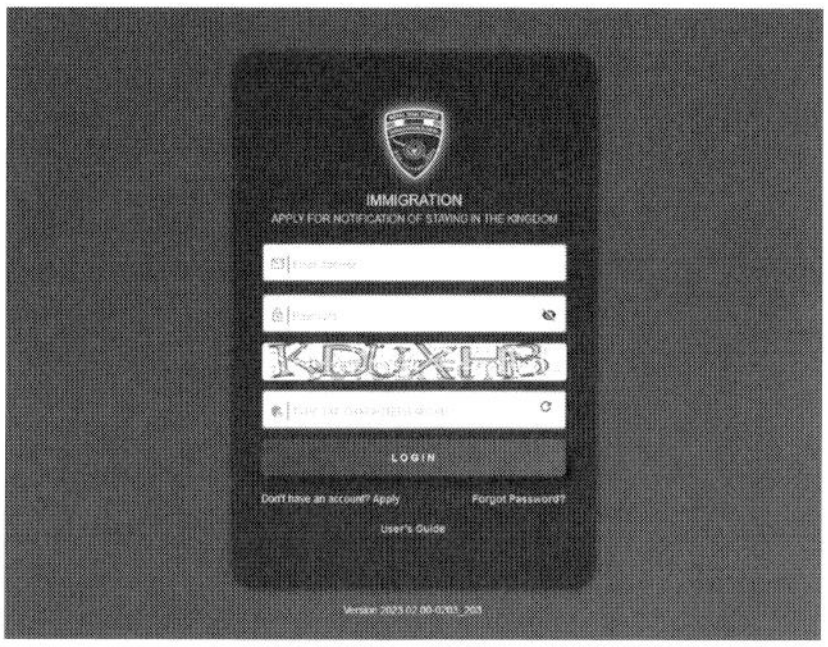
IMMIGRATION
APPLY FOR NOTIFICATION OF STAYING IN THE KINGDOM
LOGIN
Don't have an account? Apply
Forgot Password?
User's Guide
90日レポートはアプリやイミグレーションのホームページからでも提出できる
https://tm47.immigration.go.th/tm47/

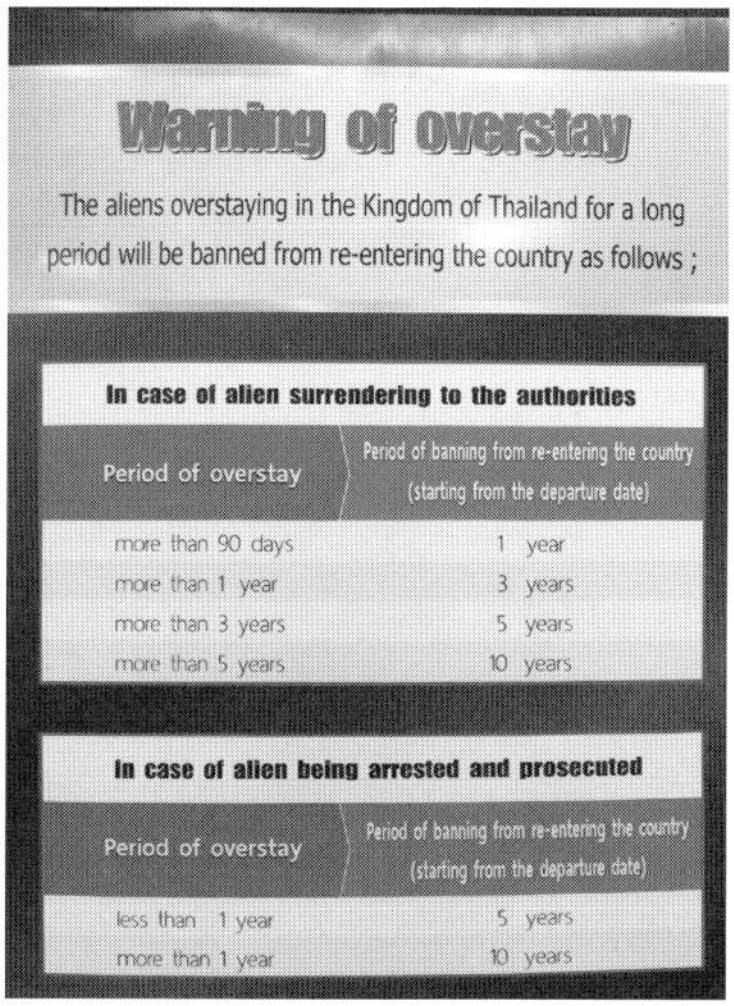
Warning of overstay
The aliens overstaying in the Kingdom of Thailand for a long period will be banned from re-entering the country as follows ;
In case of alien surrendering to the authorities
Period of overstay
Period of banning from re-entering the country (starting from the departure date)
more than 90 days　1 year
more than 1 year　3 years
more than 3 years　5 years
more than 5 years　10 years
In case of alien being arrested and prosecuted
Period of overstay
Period of banning from re-entering the country (starting from the departure date)
less than 1 year　5 years
more than 1 year　10 years
オーバーステイ（不法滞在）の取り締まりと罰則は厳格だ

空港で出発便が遅延して日付を越えることがありますので、一日くらいなら罪に問われないまま処理してもらえますが、九〇日ともなると「うっかり」とは言えません。延長や更新する気がないと見なされ、厳しい態度を取られます。

オーバーステイが確定すると、しばらくはタイに来られなくなります。この国で長く暮らしたいなら、ルールはしっかりと守りましょう。

カレンダーには期限の日（ビザ切れの日ではなく手続きの開始日）の印を付け、忘れることのないようにしてください。

ビザ・ランについて

リタイヤメント・ビザ以外はタイ国内では延長できません。ツーリスト・ビザやノー・ビザで滞在している外国人は、滞在許可の期限が切れる前にタイから出国する義務があります。

再入国したければ、一度国境を越えてタイ以外の国に入ってから再入国します。これを「ビザ・ラン」と呼んでいます。

国境を越えてタイ以外の国に出た瞬間に、これまで持っていたビザが無効になります。あらたなビザが必要なら現地のタイの大使館または領事館に行って申請し、取得し直さなければなりません。

ビザがなければノー・ビザ入国になります。空路で入国の場合は、第一章で説明したとおり三〇

TIPS パスポート上に記された滞在可能期間を超えてから（つまり失効してから）延長や更新手続きすることはできない。また使用開始後まもないビザを延長することもできない。

東北地方で最も東北に位置するナコーン・パノムもメコン川に沿った街

メコン川に沿って発展する街ノーン・カーイ。ラオスに渡れる橋が最初に開通した街でもある

南部の商業都市ハート・ヤイはペナン（マレーシア）との往復に便利な街

ムクダハーンもメコン川に沿った街。橋を渡ってラオスに行くことができる

スガイ・コーロクはコタ・バル（マレーシア）のタイ領事館へのアクセスに便利な街

日間の滞在が許可されますが、陸路の場合は一五日間と滞在可能期間が半分になります。
また、この陸路でのノー・ビザ入国には回数制限があります。

タイと国境を接する国々からビザを取得せずに陸路でタイに入国できるのは一年（一月一日から一二月三一日の三六五日間）に二回までと制限されています。

三回目以降はノー・ビザでの入国が不可となりますが、ブラックリストによる入国拒否ではないため、この陸路入国不可期間中でもビザさえ取得していれば、問題なく国境を通過できます。空路ノー・ビザ入国でも問題はありません。一二月三一日から日をまたいで一月一日になればそれまでの履歴がクリアされ、再び一五日間×二回の陸路入国資格が与えられます。

この入国制限は、現在のところ陸路入国だけが対象で、空路での入国については規制がありません。空路を使ってタイに入る場合は何度でもノー・ビザで三〇日間の滞在が認められます。

この陸路入国規制がなく、何度でも自由に出入国できたころは、国境に近い街で暮らす外国人が多くいました。ラオスと国境を接するメコン川沿いや、マレーシアに近い南部の街では「ちょっとそこまで」の感覚で国境を越えることができ、そのたびに入国日付がクリアされるため、リタイヤメント・ビザがなくても長期滞在が可能だったのです。

現在は不可能ですが、それでもタイ東北部のメコン川沿いの街（ノーンカーイ、ナコーン・パノム、ムクダハーン）は、川向こうのタイ領事館まで近いことを理由に人気があったりもします。

TIPS ミャンマーにも陸路で出入りできるが出入国は無料ではなく有料。カンボジア入国時は陸路空路を問わずビザが必要。

第七章

できる……はずなのにできない理由

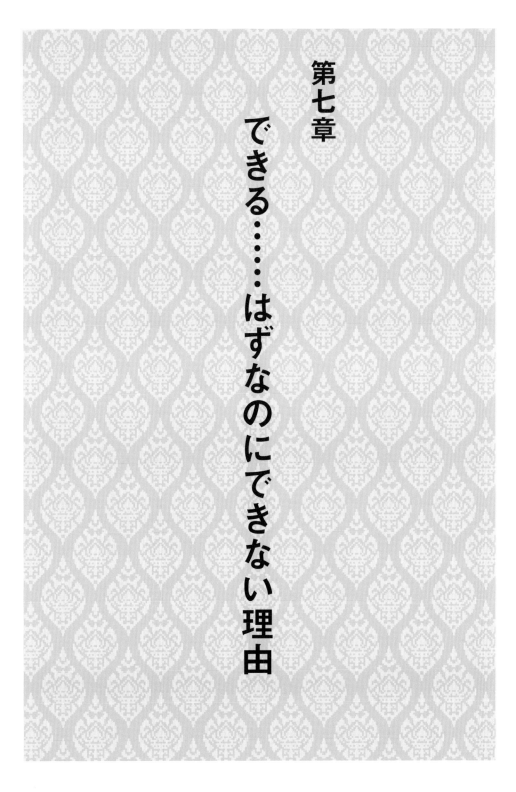

なぜできないのかを考えてみる

月一〇万円でのタイ王国長期滞在は、現在の非常に厳しい日本の経済事情と円安の中でも続けることが可能です。極度に節制したり、自分の体と健康を犠牲にしなくても問題なく実現することができることは、これまでの章で説明してきました。

しかし、中にはできない人もいます。

それはなぜか？　大きな理由がふたつ挙げられます。

1．経済面で破綻している
2．健康面で問題がある

結局のところ、月一〇万円での暮らしを妨げるのは、この二点に尽きます。

経済面で破綻している

いまもし経済的に行き詰まっているなら、これまで支払ってきたお金が「本当に支払うべきもの」だったのか調べてみてください。

支払わなければならないものであれば、しかたがありません。それは使うべくして使われたものです。

そうでなければ、それはいったいなんだったのか？

なんのために使われたのか？

第五章で家計簿をつける意義について説明しましたが、実際につけていますか？

経済的問題を抱えている人は、ほぼ間違いなくつけていません。そんな人は、もう一度第五章まで戻って生活をやり直してください。

「気づかぬうちに無駄づかい」と「身の程知らずの贅沢暮らし」は月一〇万円生活の大きな敵です。それでもうまくいかなかったら、タイで月一〇万円の生活を続ける資格がなかったということになります。

月一〇万円は無理だとしても

しかし、ちょっと待ってください。月一〇万円での生活が続けられなくても、一二万円だったらできるのではないですか？

一〇万円を超えていても、一二万円以上にはなっていない……それはつまり「月一二万円でのタイ生活ができている」ということです。一二万円が一五万円でもかまいません。その金額で半年以上の生活が続いているなら、それがその人の生活に必要な金額なのです。

この本では「月一〇万円での生活」にこだわりましたが、「一〇」という数字は便宜的なものにすぎません。身の丈に合った数字であれば「七」でも「一五」でも、なんの問題もありません。

自分自身に、そして周囲の家族、親族、友人たちに迷惑をかけない金額であれば、いくら使ってもかまいません。この数字は自身の健康を損なわない範囲内で、自由に設定してください。

本当は豊かな長期生活者

前にも書きましたが、この月一〇万円でのタイ生活は、経済的に苦しいから始めるのではありません。あらかじめ決めた経費の中でどれだけ快適に暮らせるか、それをひとつずつ試しながら楽しむのが目的です。

第六章を読めばわかるように、リタイヤメント・ビザを取得してタイで生活を始めている人は、みなある程度の資産を持っています。年齢五〇歳にして日本円で三二〇万円相当ものお金が銀行口座にあり、無職でありながら年間一二〇万円以上の現金収入を手にしているにもかかわらず貧乏と言うのは詭弁にすぎません。貧乏どころか、それは他人もうらやむ境遇です。

地方に行けば、その町で最も立派な新築アパートでも月五〇〇〇バーツ（二万円）程度の家賃で借りられたりします。それでも、そんな部屋で暮らしていたら、周囲からは「ガイジンはやっぱり金持ちだな」という目で見られます。

現実的にも月一〇万円＝二万五〇〇〇バーツという金額は、タイでは中流かそれ以上の月額所得に相当します。この現実を前にして「金がない」と言おうものなら、相手に腹を立てられてもしかたがありません。

長期生活者の金を狙うもの

悪人は見栄を張らせようと必死になります。使わせようと、全力で迫ってきます。

目立った生活をしていると、そういう連中が自然と集まってきます。そのほとんどは、食い詰めた日本人です。

金の無心ができそうなら、そうしてくるでしょう。できそうにない相手には投資話を持ちかけてきます。使う気のない数百万円の預金がタイの口座にあるくらいなら、日本国内には千万単位の資産があって当然と考えるのは自然な流れです。

地方に行けば年間の世帯収入が数万円程度の家庭が普通にある

TIPS　金がないのではない、使いたくないだけだ。

高級マンション購入から始まる不動産詐偽、飲食店や事務系ビジネスへの出資詐欺、ネットワークビジネスという名のネズミ講などなど、タイには資産家から金を引き出させるための小ネタ大ネタが豊富にあります。欲に釣られてこれらの話を聞くと、月一〇万円でのタイ生活などは、いともかんたんに崩壊するでしょう。この手の話の展開は何十年も前から定番として決まっています。

いずれにしても、話を持ちかけられた時点で距離を置くのが基本です。どれだけ親切な人がいたとしても、他人の利益のために身を削る必要や理由はないわけで、そこは冷静に判断してください。

TIPS 挑発には乗らない、聞かない、相手にしないの態度でのぞむ。

タイで増やせるもの

タイで長期生活を始めた人が増やせるものは、次の三つです。

1. 幸せ
2. 健康
3. 人間関係

これ以外のものを増やそうとすると、手持ちの資産はあっという間に減ります。

タイに住むと決めたのは、資産を減らすためではありません。

それを増やすためでもありません。
日本にいるより豊かに暮らすために来たのです。
その豊かさとは「幸せ」と「健康」です。この初心を忘れたときが転落の始まりです。

健康面での問題

生活には支出は必要ですが、それで資産を減らしているわけではありません。支払うことによって「健康」という資産を増やしています。それはタイでの長期生活者にとって、お金以上の財産です。

現実として、健康を害するとたいへんな出費になります。入院となったら一日あたり二〇〇〇バーツ（八〇〇〇円）は確実に消えていくでしょう。保険に加入していなかったら、それはすべて自己負担です。

そこまでいかないにしても、薬を買えば支出は増えます。そのお金があったらけっこうな贅沢ができたと思うのは、病の床

タイ人向けの医療介護システムはあるが外国人は対象外だ

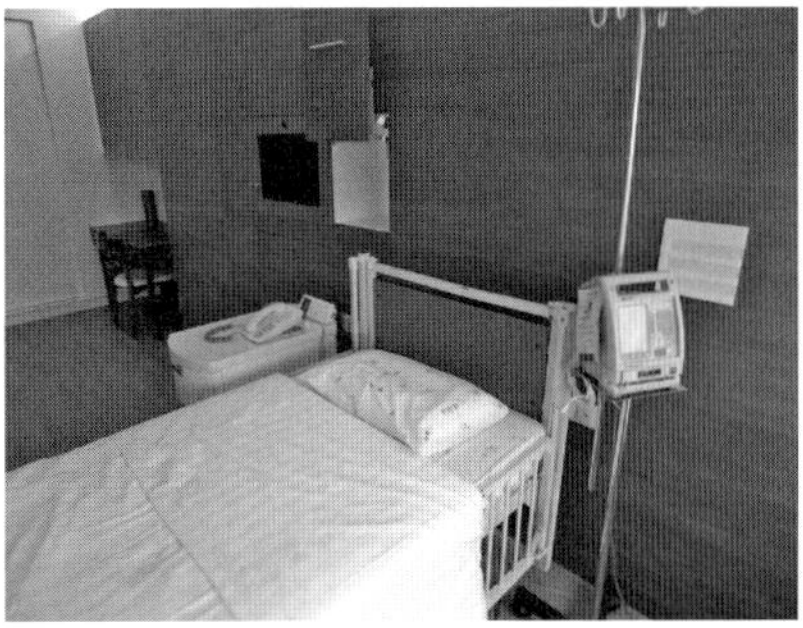
病気になると支出が増える。節約したいなら健康でいよう

TIPS タイの銀行口座は一定の年月を過ぎると自動的に休眠口座に入るか解約される。対応は銀行によって違う。

に伏せってから。なにごとにも不注意な人間は、そうなってしまうまで気がつきません。

この国では健康こそがなによりの節約になります。それを保つには、規則正しい生活が求められます。膨大な医療費で大切な資産を失いたくなければ、そうした生活を実践する以外にありません。

良好な人間関係を作る

幸せと健康以外に増やせるものが、もうひとつありました。それは人間関係です。

人間関係の構築は、どこに行っても避けられません。ですので、そこから逃げるのではなく、「よい関係を築く」ことに神経を使いましょう。

たとえば現地の社会に身を置くと、住民のタイ人たちから自身の過去や周辺を根掘り葉掘りたずねられますが、やむを得ないことと思ってください。

見慣れない外国人は、現地の住人にとっては異物です。自分たちに害がないか、まずはそこを確かめられます。すでにある彼らの社会で受け入れられるかどうかを調べられるわけですが、そうした態度が嫌なら最初から足を踏み込むべきではありません。

目立つ必要はまったくありません。タイの社会の中で目立とうとする意識や姿勢もまた、月一〇万生活の敵なのです。

どんなに僻地でも電話は通じる。極端な田舎暮らしもいい体験だ

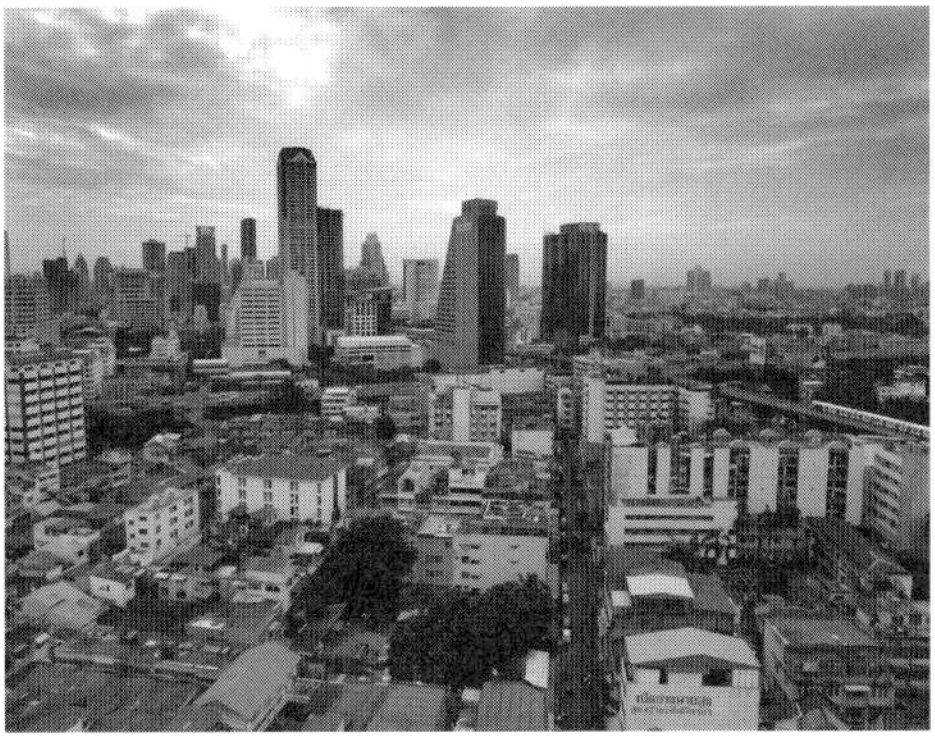

不動産投資の勧誘は多い。しかし30年後もタイで暮らしているのかを考えたい

ジョギングなどの運動はできるだけ朝夕に行おう。日中は逆に健康を損なう

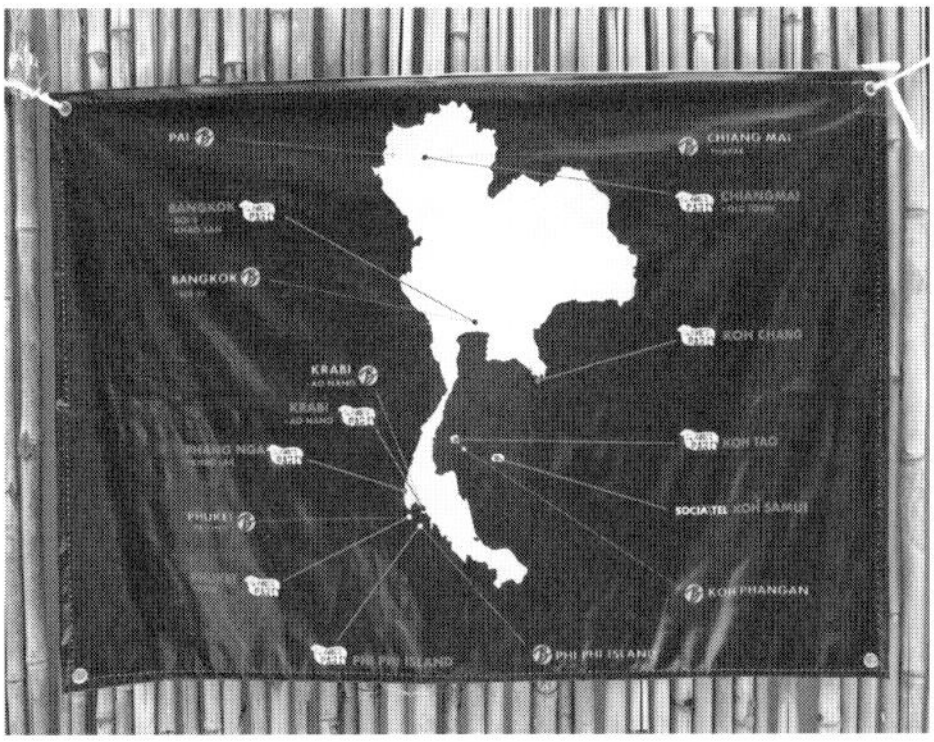

暮らせる場所はどこにでもある。心配は、そこが自分に合うかどうかだけだ

軽い運動器具は公園未満の広場にも用意されていて自由に使える。熱中症には要注意だ

加齢対策にはウエイトトレーニングも重要だ。無理のない範囲で積極的に行いたい

あとがき

ゆるく楽しむ月一〇万円生活
楽しめなかったら、やめましょう

これまで説明してきた「月一〇万円でのタイ生活」ですが、楽しめそうですか？

なにごとも無理は禁物です。楽しめなかったら、やめましょう。

そんなにはっきり言ってもいいんでしょうか。

かまいません。日本を追い出されてきたわけでもなく、無理やり生活させられているわけでもないので、いいのです。

楽しいからこそ続けられる。そうではありませんか？

歯を食いしばって耐え抜く先になにがあるのか知りませんが、そんな思いをするために、この国での生活を選択したわけでもないはずです。

「頭の中の理想と現実の生活が一致しなかった」のはよくあります。「そもそもタイ暮らし（海外生活）が合わなかった」というのも立派な理由です。どれも恥ずべきことではありません。

リタイヤメント・ビザを持っているなら、銀行に最低でも四〇万バーツ（一六〇万円）の預金があるはずです。それを解約して口座を閉じ、日本円に替えて、さっさと帰国してしまいましょう。

アパートは解約して、預けていた保証金を受け取ります。備品を壊していたり部屋を汚していなければ、全額返してもらえます。

スーツケースに入らない荷物は小包にして送るか捨てるかします。大型の電気製品などは希望者に売るのもいいでしょう。

帰国便のチケットを持っていなければ購入します。片道だけでかまいません。

リエントリー・パーミットを取得しなければ、タイを出国した時点でビザは自動的に無効となり、それ以上の手続きは必要ありません。

すべてはたったこれだけのことです。あとは帰国してからのことだけを考えましょう。

しばらくしてから思い返せば「あれはけっこう楽しい体験だったかも」と言えるかもしれません。しかしどのような体験であれ、体も心も害していなかったら、それでいいのではないでしょうか。

いつでもやめられると思えば気も楽です。ゆるい気持ちで旅立って、ゆるい気持ちで暮らしましょう。それがこの国本来の楽しみ方なのです。

月一〇万円でそれができるなら、あるいはできたなら、最高の話だと思いませんか。現時点では、それはここタイ王国でしかできないのです。

藤井伸二（ふじい・しんじ）
実存主義を思索の軸とする旅行作家。イマヌエル・カントが実践した規則正しい生活を理想としている。最近の趣味はガーデニング。おもな執筆書に「タイからはじめるバックパッカー入門（光文社知恵の森文庫）」、「新・タイ散歩（歩いて楽しむ異国の街並み）」イカロス出版、「宗教問題」（合同会社宗教問題）など。
https://www.facebook.com/thaisanpo
https://www.instagram.com/ankokucinema/

月10万円でできる！
悠々生活タイランド

2023年6月30日　初版発行

著者：藤井伸二

デザイン：丸山結里

発行者：山手章弘
発行所：イカロス出版
〒101-0051
東京都千代田区神田神保町1-105
電話：03-6837-4661（出版営業部）

印刷・製本所：図書印刷